JN125992

復刻版

言語オタクが友だちに700日間
語り続けて引きずり込んだ

言語沼

ゆる言語学ラジオ

堀元見
KEN HORIMOTO

水野太貴
DAIKI MIZUNO

VALUE BOOKS

そもそも 言語沼 とは？

★ ★ ★ ★ ★

　私たちが普段使っている**コトバ**は、まるで沼のようである。その謎、そして魅力はまったく底が見えない。

　物心ついたときにはすでに言語沼に足を踏み入れていた水野（右イラスト）は、難読漢字や語源、文法、語彙などに広く関心を持ってきた。大学での専攻は言語学で、今でも知らないコトバがあると必ず辞書を引いてしまう筋金入りの言語オタクである。

　そんな水野が1人でも多くの人を言語沼に誘（いざな）うためにスタートしたYouTubeチャンネル「ゆる言語学ラジオ」では、コトバの奥深さにまつわる話をしており、現在（2024年2月時点）約27万人のリスナーを沼に引きずり込むことに成功している。

　その「ゆる言語学ラジオ」にて聞き手を務めるのが、言語学素人の堀元（左イラスト）だ。

　彼は、水野による**犠牲者第一号**と言えるだろう。

　慶應義塾大学理工学部で情報工学を学び、言語学とは無縁の生活を送ってきた彼だったが、

水野と出会ってすっかり人が変わってしまった。以前は「ら抜き言葉は許せない！」などと怒り散らしていたのに、今や「『ご注文は以上でよろしかったですか？』って本当に面白い表現ですよね」と相好を崩し、目を輝かせているのだ。

かくいうあなたも、本書を手に取り、ページを開いた時点で**言語沼の浅瀬**に足を踏み入れかけている。

2人と一緒に、ぜひ奥底まで沈んでいこう。読み終えた頃には、友だちとの会話も、街で見る広告も、何もかもが新鮮に見えるはず！

ようこそ！
言語沼へ

言語の面白さは、フェルマーの最終定理と同じ

- -

水野 突然ですが堀元さん、噂が広がっていくうちに、話が大きくなっちゃうことってありますよね。

堀元 あー、あるね。10万円宝くじ当たっただけなのに、100万円当たったことになってる、みたいな。

水野 そういうことを表した慣用句で、「話に〇〇がつく」というのがあります。

〇〇に当てはまる言葉は？

堀元 分かるよ。**尾ひれ**でしょ。

水野 そうですね。これ、不思議じゃないですか？

堀元 え、いや、何も不思議じゃないけど。

水野 ホントに？　よく考えてみてください。

堀元 うーん……分からんな……。

あっ、**魚類にだけ肩入れしてるのはおかしい！　両生類や鳥類にも配慮しろ！**ってこと？

水野　**違います。**

堀元　じゃあギブアップです。

水野　そもそも "尾ひれ" って、何のことか分かります？

堀元　右下のイラストみたいに、魚の尾についてるひれのこと
　　　でしょ？

水野　**違います。**

堀元　えっ！　いやいや、そこ否定すんなよ‼　そこは明らか
　　　でしょ⁉

水野　まあまあ落ち着いて。今から言う
　　　シチュエーションをよく想像して
　　　ください。

堀元　……はい。

水野　水族館で、めちゃくちゃ大きいサメが水槽の中で泳い
　　　でます。

堀元　うん。

水野　サメが自分の前を通過したとき、尾についてるひれがめ
　　　ちゃくちゃ大きいことに感動したとしましょう。なんて
　　　言いますか？

堀元　えっと……「**すげ〜！ 尾びれ、大きい
　　　〜！**」かな……。**あっ！**

水野　何が言いたいか分かりました？

堀元　かんっっぜんに分かりました。さっきは "**尾ひれ**" で、
　　　今は "**尾びれ**" でしたね。

水野　これ、何が違うんですか？

堀元　さっぱり分からない……。

水野　分からないんですか？

母語話者なのに？

堀元　その煽（あお）り、めちゃくちゃ悔しいからやめて。

水野　でも、使い分けてましたよね。話につくのは**尾ひれ**で、水族館で魚を見たときに言うのは**尾びれ**って――。

堀元　そうだね。

水野　ちゃんと使い分けてるんだから、判断基準をちゃんと教えてください。

堀元　……まったく分からない。意識したこともないし。

水野　改めて考えてほしいんですが、"尾ひれがつく"って言ったとき、何を意味してますか？

堀元　本体に余計なものがくっついちゃうみたいなことだよね。

水野　そうです。イメージとしては、**身体の主要部分からはみ出たもの**がくっついてるってことですね。

堀元　うん。

水野　だんだん話が見えてきませんか？

身体の主要部分からはみ出たものってことは、つまり**尾**であり、**ひれ**であるってことですよ。

堀元　……うん……あっ！

水野　理解しました？

堀元　完全に理解した。

水野　では、答えをどうぞ！

堀元　話につくのは**尾とひれ**であって、**尾びれ**ではないってことでしょ?

水野　そういうことです!
ひれが**びれ**になるみたいな、言葉の繋がりによって濁点がつくことを**連濁**と言います。

堀元　「連濁」、言葉は聞いたことあるね。

水野　連濁には法則があるんです。今考えてもらったように、"尾とひれ"を意味する場合は、**尾ひれ**と連濁しません。

堀元　**2つが並んでいる場合**ってことかな?

水野　そうです。つまり、並列関係のときは連濁しない。
逆に、修飾関係のときは連濁します。
"尾のひれ"の場合は修飾関係なので、**尾びれ**になるワケです。

堀元　なるほど!　めっちゃスッキリしたわ。

水野　我々は無意識に2つの単語の関係を判断して、**連濁するor 連濁しないを判断**してるんですね。

堀元　面白いね。並列関係だと濁らないんだ。これってもしかしたら、社会の中でも同じかもしれない。

水野　どういうことですか?

堀元　独裁政治は必ず腐敗して濁っていくけど、民主主義は腐敗しづらい。力が拮抗して並列してる集団は濁らない。

水野　**急に思想が強い。**

堀元　この連濁の法則は、権力の分立の重要さを訴えてるということですよね?

水野　違います。

堀元　そして、例文として「話に尾ひれがつく」を持ってきてるのも、風説の流布に警鐘を鳴らしてるということですよね？

水野　そういう意図は一切ないです。

堀元　今こそ民衆は立ち上がるべきだと、そういうことですよね？

水野　人を煽動家扱いするのやめてもらっていいですか。

「やまかわ」と「やまがわ」の違い

水野　さて、堀元さんが散らかしちゃったので、元に戻しますね。

堀元　ごめん……。

水野　今してたのは、連濁の話でした。**修飾関係のときは連濁するし、並列関係のときは連濁しない**という法則です。

堀元　そうでしたね。

水野　他にも事例はいっぱいありますよ。

　　　夏の日差しを遮（さえぎ）るために使う傘のこと、なんて言いますか？

堀元　日傘（ひがさ）だね。

　　　……あっ、ホントだ！　これ、**修飾関係**ですね。

水野　でしょ？

　　　日に対して使う傘だから、修飾してるんですよ。だから濁る。

堀元　楽しいなこれ。他にもあります？

水野　ちょっと面白い事例でいうと、山＋川ってのもあります。

　　　「山川」と書いて、どう読みますか？

堀元　「**やまかわ**」かな。

水野　どういうイメージですか？

堀元　**世界史の教科書**です。

水野　**そういうボケいいから**。歴史の教科書に強い山川（やまかわ）出版社ね。

そうじゃなくて、「やまかわ」の自然
　　　界におけるイメージは？

堀元　え、まあ、山と川じゃないですか？

水野　そうですよね。では、「**やまがわ**」と
　　　読んだときはどうですか？

やまかわ

堀元　……あっ！　すごい！
　　　「やまがわ」だと、**山の中を流
　　　れる川のイメージ**になった!!

水野　そういうことです。
　　　これも**並列関係 or 修飾関係**ですよ
　　　ね。濁ってると修飾関係です。

やまがわ

＊山川出版社
　1948年に設立された主に歴史の教科書を刊行している出版社。特に、赤色と青
　色のカバーの『詳説日本史』『詳説世界史』が有名。

カエルはガエル、トカゲはトカゲ

水野　こんな感じで、我々は無意識に連濁を使いこなしてるんです。

堀元　考えたことなかったけど、注意せずに表現を変えてるってすごいね。

水野　実は、連濁に関して、もっと他の法則もあるんですよ。毒を持つカエルのことを一単語でなんて言うと思いますか？

堀元　いや、知らないけど。

水野　雰囲気で言ってみてください。ドク＋カエルは……？

堀元　**ドクガエル**ですか？

水野　そうですね。
　　　では、毒を持つトカゲのことはなんて言いますか？

堀元　**ドクトカゲ**ですかね。

水野　いいですね。この時点で、不思議な現象が起きてることにお気づきですか？

堀元　えっ、何が？

水野　カエルに「ドク」をつけると「**ガ**エル」になりましたね？

堀元　うん。

水野　でも、トカゲに「ドク」をつけても「**ド**カゲ」にはなら

ない。

堀元　あっ!!　ホントだ!!!!

水野　これはどう違うと思いますか？

堀元　うーん、かわいさですか？

水野　違います。

堀元　かわいければ濁音にならないみたいな。

水野　違います。

堀元　チワワは毒を持ってたとしても**ドクヂワワ**にはならないでしょうからね。かわいさがポイントですね。

水野　**違うからもう黙れ。**
答えを言っちゃうと、**すでに濁音がある言葉は連濁しません。**

堀元　あ〜、なるほど！　すごいな！

水野　言ってる意味、分かります？

堀元　「カエル」には濁音がないから「ドク**ガ**エル」になるけど、「トカゲ」には濁音があるから「ドク**ト**カゲ」のままってことでしょ？

水野　そうですそうです。

堀元　その理屈で言うと、チワワが毒を持ってたら……？

水野　「チワワ」には濁音がないですから当然、「ドク**ヂ**ワワ」になると思います。

堀元　なるほど！　かわいくても濁点がつくんですね！　ドクヂワワになるんだ！

水野　はい。かわいさは関係ありません。毒を持っているチワワ
　　　は、ドクヂワワです。

堀元　水野さん、1つ教えてあげたいことがあるんですが……。

水野　はい。

堀元　**毒を持ったチワワなんていない**ですよ？

水野　お前が言い出したんだよ。

ライマンの法則

水野　**すでに濁音がある言葉は連濁しないという法則を発見した人はライマン**さんと言いまして、**ライマンの法則**と呼ばれてます。

ライマン

堀元　へえ〜。ライマンさんが発見したんだ……。

……。

……ん？　**日本人じゃないの???**　日本語の話なのに??

水野　そうなんですよ。B・S・ライマンっていうアメリカ人が発見したんです。

堀元　へえ〜。やっぱりアレかな。母語については、みんな深く考えないから、外国人の方が有利なのかな。

水野　まあ、そういう側面はあるのかも……。

でも、ライマンの発見は、実は再発見だったようですよ。**本居宣長**とかが先に発見していたらしい。

堀元　なんだ、ライマン、第一発見者じゃないのか。

水野　そうですね。日本の国学者が先に発見していたようです。

堀元　ちなみに、"科学的発見には第一発見者の名前がつくことはない"という法則にも名前がついてまして、これは**スティグラーの法則**といいます。

水野　**法則の説明をしてる途中に、別の法則を説明するな。**

堀元　ごめん。つい、知ってるうんちくを挟みたくなってしまって……。

水野　余計な情報を増やして脱線させないように気をつけてくださいね。

堀元　でもほら、ライマンの法則はまさにスティグラーの法則に当てはまってるから嬉しくなっちゃって。

スティグラー

水野　まあ、たしかにドンピシャのうんちくではありますね。実際、ライマンの法則も第一発見者じゃない人の名前がついてるワケだし。

堀元　ちなみに、スティグラーの法則自体もスティグラーの法則を満たしてまして、第一発見者は**スティグラー**ではなく**マートン**なんです。

水野　**余計な情報を増やすなって言ってんだろ。**

ベンジャミン・スミス・ライマン
（1835年12月11日～1920年8月30日）
アメリカ合衆国の鉱山学者。

本居宣長
（1730年6月21日～1801年11月5日）
江戸時代の国学者、言語学者、医師。『古事記』の研究に取り組み、『古事記伝』を著した。

スティーヴン・スティグラー
（1941年8月10日～）
アメリカ合衆国の統計学者。

ロバート・キング・マートン
（1910年7月4日～2003年2月23日）
アメリカ合衆国の社会学者。

言語の面白さは、フェルマーの最終定理と同じ

水野 堀元さんは、今までの人生で、ライマンの法則を知らずに暮らしてきたワケですよね。

堀元 そうですね。完全に初耳でした。

水野 **アホみたいな顔して、30年近くボーッと母語話者をやってた**ワケですよね。

堀元 ライマンの法則を知らなかっただけで、ひどい言われようだ。

水野 でも、カエルとトカゲの連濁については正しく使い分けることができましたね。

堀元 うん。理屈を知らないのにちゃんとできたね。

水野 それこそが、**言語の面白さ**なんです。

堀元 どういうこと？

水野 僕たちは、**理屈は分からないのに、なぜか正解は知ってる**んです。

堀元 あー、それ、たしかに珍しいかも。普通は理屈から答えを導き出すもんね。

水野 はい。これって数学の証明問題とかにちょっと似てるなって思うんですよ。

堀元 そうだね。結論が与えられてて、そこに至るまでの過程を導き出すっていう。

水野 証明問題にはドラマ性があるじゃないですか。**フェルマーの最終定理**とかが有名ですけど。

堀元　あー、そうだね。**サイモン・シンの『フェルマーの最終定理』**を読んだときは、「こんな簡単そうな証明に何百年もかかって、人生を賭けてきた数学者がたくさんいたのか！」って感動したわ。

フェルマー

水野　そうです。でもぶっちゃけ、フェルマーの最終定理は僕たちにはあまり縁がない世界なワケですよ。$x^n+y^n=z^n$ を日常的に使ってる人、多くないでしょ？

堀元　うん。僕も使ってない。

水野　一方、言語については全員が毎日使ってます。

堀元　そうだね。

水野　だから、**フェルマーの最終定理よりもずっと身近**なんですよ。

毎日使っている「日傘」とか「カエル」みたいな日常的な言葉の中に、問題が潜んでるんです。

堀元　たしかに、「日傘」はフェルマーの最終定理より見る機会が圧倒的に多いね。

水野　そうです。だから、**言語の謎に挑戦することで、フェルマーの最終定理に挑むドラマを誰でも追体験できる**んです。

超身近な問題で、誰でも正誤判定ができて、それなのに証明過程が分からない。そういう問題に取り組む一大ドラマを味わえます。

堀元　めちゃくちゃ面白いじゃないですか!!　言語!!!!

水野　そう、めちゃくちゃ面白いんですよ‼　言語‼‼

堀元　鬼おもろコンテンツじゃないですか‼　言語‼‼

水野　鬼おもろコンテンツですよ‼　言語‼

堀元　あっ、でも待てよ……？「コンテンツ」には濁音がない
　　　から……**鬼おもろゴ̇ンテンツ**じゃないですか‼

水野　そうはならんやろ。

堀元　毒を持ってるチワワは**ドクヂ̇ワワ**だし、言語は**鬼おもろゴ̇
　　　ンテンツ**ですね。

水野　こわいって。

※言うまでもないですが、ライマンの法則は原則として日本語の法則なので、外
　来語のチワワやコンテンツには適用されません。ふざけちゃってごめん。

*『フェルマーの最終定理』（新潮社）
　サイモン・シン（著）／青木薫（訳）

ピエール・ド・フェルマー
（1601年10月31日？～1665年1月12日）

フランスの数学者。
「数論の父」と呼ばれている。
フェルマーの最終定理は、「$x^n + y^n = z^n$（nは
3以上の自然数）となる自然数 x、y、z の組
は存在しない」という定理。彼がノートの余
白にこの予想を書いたせいで、多くの数学者
の人生が狂ってしまった。

ま　と　め

水野　以上、プロローグでは、言語の面白さについて語ってき
　　　ました。

堀元　**鬼おもろゴンテンツ**ですね。

水野　それ、散らかるからホントやめて。

堀元　ごめんなさい。

水野　とにかく、**言語は、結論だけ分かるのに過程が分からない身近な証明問題の宝庫であり、言語の謎に向き合うことはフェルマーの最終定理に向き合うような一大ドラマである**というのが、今回の趣旨
　　　でした。

堀元　言語、めちゃくちゃ楽しいですね。**そんな身近な問題がたくさん載ってて、それに対する答えをゆるく楽しく味わえる本**とかがあればいいんですけど……そんな都合のい
　　　い本はないですよね？

水野　ありますよ。

堀元　えっ!?　あるんですか!?

水野　それが、本書『**言語オタク**
　　　が友だちに 700 日間語り続
　　　けて引きずり込んだ言語
　　　沼』です。

堀元　すげ〜!!!　最高の本ですや

ん！

水野　僕らなりに言語の楽しさを詰め込んだので、読者の皆
　　　さんにも味わってもらえると幸いです。

堀元　最高ですね！　鬼おもろ本ですね！
　　　あっ、これ連濁だ！　鬼おもろ**ぼ**んだ!!　ライマンの
　　　法則を満たしてる!!

水野　……。
　　　以上、このあとの本編も、楽しんでくださいね！

CONTENTS

「のこと」沼

第**2**章

「バテる」沼

「えーっと」沼

第 **5** 章 「パンパン」沼

第 1 章

★ ★ ★ ★ ★

「のこと」沼

俺、スイカのこと
好きなんだよね

- -

水野 　堀元さん、ヘリコプターって生き物だと思います？

堀元 　何言ってるの？　そんなワケないでしょ？

水野 　いや、そうとも言い切れないですよ。

堀元 　言い切れるだろ。ヘリコプターは機械なんだから。絶
　　　　対生きてないです。

水野 　それがね、日本語の文法を勉強すると、日本人が**ヘリコ
　　　　プターを生き物扱いすることもある**ことが分かるんです。

堀元 　とんでもないこと言い出したぞ、この人。

水野 　まあ、その話はあとでするとして、一旦置いておきま
　　　　しょう。
　　　　まずは堀元さん、次の2文を和訳してもらえますか？

　　　　・There is an apple on the table.
　　　　・There is a cat on the table.

堀元 　めっちゃ簡単ですね。

　　　　・**リンゴが机の上にある。**
　　　　・**ネコが机の上にいる。**

　　　　こうでしょ。

水野 　はい、完璧です。

ほとんど同じ文でしたが、ここで注目してほしいのは
動詞です。

堀元　英語はどちらも **is** ですね。

水野　ええ。では日本語は？

堀元　前者は**ある**、後者は**いる**ですね。

水野　なぜ日本語は違うんですか？

堀元　なぜって言われても……。そういうもんじゃない？
　　　モノには「ある」を使うし、生き物には「いる」を使う
　　　よね。

水野　そうなんです。この「ある／いる」って、どちらも存在
　　　を指す動詞ですね。
　　　でも、日本語にはどうして存在を表す動詞が2種類あ
　　　るんでしょう？

堀元　いや、だから、「そういうものだから」じゃない？

水野　でも、1種類にしちゃってもよくないですか？
　　　実際、英語はそうしてるワケですから。

堀元　たしかに、全部「ある」にしても大丈夫そうだ。意味分
　　　かるし。

水野　ですよね。フランス語やドイツ語なんかも、表現で「生
　　　物か無生物か」を区別することはないですからね。

堀元　うーん、そう言われると不思議に思えてきた。あまりに
　　　も当たり前に使ってたので、考えたこともなかったです
　　　ね。

水野　母語の不思議には、なかなか気づけないですよね。今
　　　日は、そんな「ある」と「いる」の不思議を深掘りして

いきます。

堀元　俄然楽しみになってきました。

水野　その前に堀元さん、「ある」と「いる」の違い、本当に
　　　分かってますか?

堀元　分かってますよ。**生物か無生物か**でしょ?

水野　鋭いですね。**ほぼ**正解です。

堀元　ほぼ?　ドンピシャ正解じゃないの?

水野　はい。生物か無生物かだけで説明できるワケではない
　　　んです。

堀元　おっと。そもそも前提から間違ってたのか。

水野　そうですね。まずは、我々の脳が無意識でやっている
　　　衝撃の処理について話していきましょう。

堀元　えらく大げさな話になったな。

タモリさんは無生物？

水野　今から言うセリフを聞いてどう思うか、教えてください。

堀元　はい。

水野　**俺、スイカのこと好きなんだよね。**

堀元　**なんか気持ち悪い。**

水野　なんで気持ち悪いんですか？
文法的に間違ってますか？

堀元　いや、文法的には合ってるけど、**その
セリフはなんか気持ち悪い**ですよ。

水野　気持ち悪さを取り除くには、どうした
らいいでしょう？

堀元　えっと……「のこと」を取ったらいいんじゃないですか。
「俺、スイカ好きなんだよね」なら自然です。

水野　素晴らしい。その通りです。
なぜですか？

堀元　なぜって言われても……。理由なん
てないでしょ。

水野　いや、堀元さんは無意識にある基準
で使い分けてますよ。「のこと」には、明確な基準があ
ります。

堀元　うーん、そうなのかな……？

水野　間違いなく、そうです。

堀元　なんでそんなに断言できるの？

水野　**僕は堀元さんをよく知ってる**ので。

堀元　う、うん……。

そう言われると、なんか嫌だな……。

水野　お、いいですね。どう思いました？

堀元　「お前に俺の何が分かるんだ」って、水野さんにおこが
ましさみたいなものを感じましたね。

水野　さっきと逆で、「のこと」を入れるとどうなりますか？

僕は堀元さんのことをよく知ってるので。

堀元　あ、違和感なくなった！　さっきよりスッと受け入れら
れます。

水野　ということは、やっぱり堀元さんは「**のこと**」を何かの
基準で使い分けてますよ。

堀元　あっ、分かった！　これは生物か無生物かで使い分け
てるんでしょ？

水野　……と、見事に罠《わな》にかかりましたね。堀元さんならそう
答えると思ってました。

堀元　腹立つなあ。

水野　**僕は堀元さんをよく知ってる**ので。

堀元　もういいってそれは。

水野　今の堀元さんの説明「生物か無生物かで使い分けて
る」は悪くないんですが、「ある／いる」のときと同様
に完璧な正解ではありません。

堀元　うーん、完璧だと思うけどなぁ。

好きな人の話をするときは「僕は３組のＡ子ちゃん**のこ
とが好き**だ」だし、好きな教科の話をするときは「僕は

英語**が好き**だ」ですからね。

「のこと」は、生物に対して使うんじゃない?

水野 じゃあ、これはどうですか?

好きなタレントを聞かれて、「**僕、タモリさんのこと好きだわ〜**」。

堀元 **あっ、なんかヘンだね。告白してるみたいになった。**

水野 ですよね。自然な言い方にするなら?

堀元 「**僕、タモリさん好きだわ〜**」ですね。

水野 ですよね。生物に対しては「のこと」を使うとしたら、これはおかしいですよね。

堀元 うーん、なんでだろう。

水野 堀元さんの仮説では、辻褄が合わなくなりましたね。

堀元 いや、待ってくれ。状況を打開する新しい発想にたどり着きました。

水野 なんですか?

堀元 **タモリさんって、無生物なんじゃないですか?**

水野 そんなワケないだろ。

堀元 いや、でも、**何年経ってもあんまり老けないし、知識量はすさまじいし、**アンドロイドでもおかしくないよね。

水野 それはそうだけど、老けない感じがするのはサングラスのせいでしょ。

堀元 いや、あのサングラスは目の動きを隠すためのものですよ。**目だけはまだ精巧に作れてなくて、目を見せたらアン**

ドロイドってことがバレてしまうから。

水野　口からでまかせで、それっぽく膨らませるのやめてください。

堀元　そもそもタモリさんが地上波のテレビを席巻してるのも、秘密結社の陰謀であって、タモリさんは秘密結社に操られるアンドロイド……。

水野　ストップストップ！　もう話を進めるよ!!

タモリさんは生物のときもある

水野　話を戻しますと、人に対しては「のこと」を使うっぽかったんだけど、「タモリさんのこと好き」は例外でした。

堀元　そうですね。これ不思議ですわ。
　　　さっきはタモリさんが無生物だと言い張ったけど、そんなワケないし。

水野　ところが、設定を1つ付け足すだけで、この文はいきなり自然になるんですよ。

堀元　そうなの？

水野　そうです。この例文を読んでください。

> **制作会社のスタッフとして、いつもタモリさんの番組の裏方をやってるんだけど、ホントに番組メンバーに対する気遣いがすごくてね。やっぱタモリさんのこと、好きだわ〜**

どうですか？

堀元　すごい！　急に自然になりましたね。

水野　ですよね。めちゃくちゃ自然な文章じゃないですか？

堀元　うん。「タモリさんのこと好き」って、さっきは不自然だったけど、この文脈なら何もおかしくない。

水野　そうなんですよ。なぜ？

堀元　うーん、アレかな。なんとなく生身のタモリさんと接し

てるから、リアリティがあるのかな。

水野　素晴らしい。ドンピシャです。

　　　テレビで見てるタモリさんには、人はリアリティを感じ
づらい。そのため、「のこと」を使うと自然さが落ちます。
一方、モニター越しではないタモリさんと接してる人な
ら、自然さが上がる。

堀元　なるほど！　直接会ってることが重要なんだ。

水野　そうなんです。このように、ある名詞に対して「**生きて
る感じがするなぁ**」とか「**意思を持ってる感じがする
なぁ**」と思える性質のことを、言語学では**アニマシー
（有生性）**と言います。

堀元　**アニマル（動物）っぽさがアニマシー**ね。憶えやすいね。

水野　語源的にアニマルとアニマシーは仲間ですね。

　　　こうした「生きてる感じがするなぁ」という判断が、「の
こと」を使えるかどうかにも絡んでくるのが面白いとこ
ろです。

堀元　たしかに。タモリさんに対しては、状況次第で「が好
き」も「のことが好き」も両方イケましたもんね。

水野　そうなんですよ。まあ実は、「のこと」の運用について
は別の要素も絡むんですが、アニマシーがかかわって
ることは間違いありません。

堀元　これめちゃくちゃ面白いな。僕らは「**生きてる感じ**」と
いう謎の尺度で言葉を使い分けていたのか。

水野　そうなんです。このアニマシーこそが、本章の冒頭に出
てきた「ある／いる」の使い分けの鍵でもあります。

堀元　あー、なるほど。言わんとすることが分かってきたぞ。僕はさっき「ある／いる」の区別を「生物か無生物か」だと言ったけど、実際には**アニマシーが重要だった**ということですね？

水野　その通りです。察しがいいですね。

堀元　とはいえ、タモリさんは絶対「いる」ですよね。

いくら秘密結社によって作られたアンドロイドだったとしても。

水野　**ちょっと一旦、タモリさんの例から離れましょうか。**

堀元　不本意ながら、そうします。

水野　ここで考えたいのが、本章の冒頭で話したヘリコプターです。

堀元　ヘリコプターね。冒頭でも言いましたが、思いっきり無生物ですね。

水野　ですよね。それならば、ヘリコプターには「ある」を用いるはずですね。

堀元　うん。「あそこにヘリコプターが**いる**」は絶対に言わないでしょう。

水野　じゃあ、この例文はダメですか？

> **急げば間に合うかも。**
> **ヘリコプターはまだヘリポートにいるんでしょ!?**

堀元　……あれ？　なんか言える気がしてきたな……。

水野　ですよね。これなら割と自然じゃないですかね。

堀元　なんでだろう。

水野　謎を解く鍵が、アニマシーです。

堀元　えっ、僕はヘリコプターにアニマシーを感じてるってこと？

水野　そうですね。さっき堀元さんも言ってましたが、ヘリコプターは普通、思いっきり無生物ですよね。

堀元　うん。

水野　一方、先ほどの例文に登場したのは、**今にも飛び立ちそうなヘリコプター**でした。

堀元　あー、**動き出しそうだから生物っぽい**ってことかな。

水野　そうです。この文は、ヘリコプターにパイロットが乗っていて、エンジンがかかっていて、今にも飛び立ちそうな状況設定ですね。

　　　この場合は、ヘリコプターがまるで生きているように感じられませんか？

堀元　たしかに。飛び立とうと待機してる感じは、いかにも生き物っぽいですね。

水野　一見不可解な「ある／いる」の使い分けを説明できる鍵。**これが、アニマシーです。**

堀元　メンタリストみたいでカッコいいですね。

水野　やめなさい。

ロボット犬 aibo は 1 体？ 1 匹？

水野 このように、我々の主観によって言葉が変わる事例は他
にもたくさんあります。

ここで考えたいのが、**助数詞**です。

堀元 助数詞って、ものを数えるときの品詞ですよね。

ノートが1"冊"とか、ペンが1"本"みたいなアレで
しょ？

水野 はい。これには、**僕らが世界をどう捉えるかという認識**、
分かりやすく言えば主観が思いっきり反映されてます。

堀元 ホントか？ ノートは1冊としか数えないし、ペンだっ
て1本としか数えないから、主観は関係なくない？

水野 それが、そんなことないんですよ。助数詞に、アニマ
シーを反映させてるケースがあるんですよ。

堀元 アニマシー、大活躍ですね。

水野 堀元さんは、ロボット犬 aibo をどう数えますか？

堀元 数えたことないけど……まあ、1匹、2匹、ですかね。

水野 そうですね。そういう感覚の人が多そうです。

しかし、実は aibo が登場した直後は、1体と数える人
の方が多かったみたいなんです。

堀元 1体……機械っぽいね。

水野 はい。「体」はロボットとかに使いますね。登場したて
のとき、aibo は「犬」であるよりも「ロボット」である
とみんな認識していたようです。

堀元　あ〜！　その認識が助数詞に反映されてるんだ！

水野　そうです。助数詞を見れば、話者がアニマシーを感じているかどうかが分かります。

堀元　aibo は時を経るにつれて、徐々にアニマシーを感じられるようになった？

水野　そうですね。所有者が aibo に徐々に愛着が湧いてきたり、あるいは技術の向上によりリアルな生き物っぽくなったりした結果、多くの人が aibo を「匹」と数えるようになったと。

堀元　すごいですね。**認識が変わってアニマシーの有無が変わると、言葉も変わる。**

水野　そうです。そしてさらに面白いのは、別に「aibo を生物だと思うか？」なんて誰も考えてないことですよね。
　　　なぜか自然と、**言語レベルで変化が起きてる**んです。

堀元　めちゃくちゃ不思議で面白いですね。集団として認識が変わってきて、言葉も変わってるんだ。

水野　もうちょっと最近の事例だと、ソフトバンクが開発する人型ロボットの Pepper があるかもしれませんね。
　　　堀元さんは、Pepper をどう数えます？

堀元　1 体、かなぁ……1 人と言ってもいいような気はするけど……。

水野　堀元さんの感覚だと、まだアニマシーが「1 人」の域には達してないっぽいですね。
　　　でも、たとえば、「ソフトバンク

の店頭に Pepper がある／いる」って文はどっちが自然
ですか？

堀元　うーん……それは「いる」かなぁ。

水野　ということで、堀元さんは Pepper にそこそこアニマ
シーを感じてるようですね。

堀元　そうだね。「Pepper がある」はちょっとかわいそうな気
がしちゃって、抵抗あるね。

水野　でも、これもさっきと一緒で、ちょっと状況を付け足す
と一変しますよ。

堀元　たとえば？

水野　**ソフトバンクの店頭に、故障して
使い物にならない、電源の切れ
た Pepper がある。**

堀元　あっ！　ホントだ！　これは**ある**
だね！

　　　電源が切れるとアニマシーがなくなるのか！

水野　そうですよね。同じ Pepper でも、シチュエーションを
少し変えるだけで、アニマシーは大きく変わる。

　　　そして、それは普段から意識してなくても、例文を考え
てみるだけで突然表面化するんです。

堀元　楽しいですね。**言語は僕たちが無意識に処理してる感
覚を浮き彫りにしてくれる**んですね。

水野　でしょう。これが言語を知る楽しさだと、個人的には思
います。

堀元　普段の言葉遣いを見つめ直したくなりますね。

まとめ－英語はあまりアニマシーを意識しない

水野 ここまでの話をまとめますと、僕らは言語レベルでは、明らかに生命がないものをさも生き物かのように表現している。

もっと俗っぽく言うなら、**雰囲気に流されて言語を運用してる**ってことです。

堀元 そうですよね。言語運用レベルでは、**ヘリコプターを生き物のように捉えたり、タモリさんを生き物じゃないと思ったりしてる**ワケですもんね。

水野 はい。

堀元 で、脳が無意識に「これは生き物」とか「これは生き物じゃない」とか判断して、言葉選びを変えてるんだ。僕らの脳、勝手にすごい処理をしててエラすぎるな。

水野 そうなんです。

ちなみに、本章の冒頭で少し話しましたが、英語は言語レベルでこうした区別をあまりしません。

堀元 英語には、「ある／いる」みたいな区別があまりないんですよね。

水野 そうです。存在を表す動詞もそうですし、助数詞なんかも発達してない。

英語の助数詞的な機能を持つ品詞は、"a"や"the"などの冠詞とかが該当するんですけど、生き物専用の冠詞なんてないですもんね。

堀元　ないですね。習ったことない。

水野　それから、受験生のときに、無生物主語構文って習い
　　　ませんでした？

堀元　あー、ありましたね。
　　　The heavy rain prevented us from holding a party.（大雨
　　　でパーティが開催できなかった）みたいなやつ。

水野　そうです。このように、英語は主語に生物も無生物も置
　　　けます。あくまでも推測の域を出ませんが、**生き物感**と
　　　いう分類を名詞にあまり適用してないのかもしれません
　　　ね。

堀元　日本語は主語に無生物を置けないんですかね？

水野　置けないとまでは言えないでしょうが、あんまり置かな
　　　いですよね。
　　　「大雨がパーティの開催を妨げた」みたいな。

堀元　たしかに。言ったことないですね。

水野　どう直します？

堀元　「大雨のせいで僕たちはパーティを開けなかった」とか
　　　じゃない？

水野　そうです。これも主語は僕たち＝**生き物**になってますね。
　　　非常に分かりやすい対比だと思います。やはり日本語は、
　　　生き物を特別視してます。

堀元　なるほどねえ。言われてみるとそうですね。
　　　そして、この比較も興味深いな。日本人は英語圏の人
　　　に比べて、**生きてるかどうかが気になる**んですね。

水野　そうですね。わざわざ言葉で表現しますからね。

堀元　日本人は「生きているかどうか」が気になるのか……。

水野　はい。

堀元　ってことは、やっぱり日本人みんなの最大の関心事は、「タモリさんがアンドロイドかどうか」ってことじゃないですか？

水野　**またその話か。**

堀元　これ、仮にタモリさんが英語圏の司会者だったら、英語圏の視聴者は**「アンドロイドでも人間でもどっちでもいいな」**ってなるワケですよね？

水野　いや、それはならないでしょう。英語圏の人もビックリするんじゃないですか。

堀元　あ、待って待って。めっちゃいいこと思いついた。**古典名作 SF の新しい楽しみ方**。

水野　なんですか？

堀元　**『アンドロイドは電気羊の夢を見るか?』**って小説、読んだことあります？

水野　名作 SF ですよね。聞いたことはあります。読んではないですけど。

堀元　この小説、アンドロイドを破壊して回る賞金稼ぎが主人公なんですが、「相手はアンドロイドなのか人間なのか」という疑問が繰り返し提示されるんですよ。

水野　へえ〜。そういう話なんだ。

堀元　人間よりもはるかに人間らしいアンドロイドがいたりして、そういうアンドロイドと向き合ううちに、自分の仕

事に疑問を持つワケですね。

水野 うんうん。テーマ性がありますね。

堀元 で、挙げ句の果てに「**もしかして自分こそが人間ではなくアンドロイドなのでは?**」と疑心暗鬼になったりして、読者としては目まぐるしく行き来する疑惑の渦に飲み込まれるような読書体験ができるんです。

水野 いいですね。面白そう。

堀元 この小説の一貫したテーマが「人間とアンドロイドの境界線」です。

言い換えれば、**生物か無生物か**ということ。

水野 ああ。なるほど。そういう見方もできますね。

堀元 で、この小説の最後で主人公は「**ヒキガエルも電気ヒキガエルも大した違いはない**」という見解を示すんですよ。

水野 うん。なんか深そう。

堀元 今までの僕は、このオチをこう解釈していました。

「人間もアンドロイドも大して違わない。良いヤツもいれば悪いヤツもいる。その性質だけで線引きするべきで、電気で動くかどうかで判断すべきではない」と。

水野 僕は読んでないけど、なんか妥当っぽい結論ですよね。それでいいんじゃないですか?

堀元 だけど、今になって思えば、これは主人公が英語圏の住民だったからかもしれない。

この物語は、**アニマシーについて疑問を投げかける、史上類を見ない野心作**だったんですよ!

水野 すごいこと言い出したぞ、この人。

堀元　どう考えてもそうですよ。だって英語圏の人は、生物か無生物かにそれほどの注意を払ってないんだから。それを活かしたオチなワケですよ。

水野　いや、それは単なる**深読み**だと思いますけど……。

堀元　この小説、元々好きでしたけど、もっと好きになりましたね。アニマシーを下敷きに書いてたなんて、さすがすぎる。

水野　堀元さんは勝手に納得してますけど、多分違いますよ。倫理がテーマの話だから、言語と認知の話はあんまり関係ないですよ。

堀元　いーや！　著者が日本人だったら、この結論にはならないはずです！

水野　そんなワケないでしょ。仮に著者が日本人だったら、どんな小説になります？

堀元　そりゃもう、生物と無生物を明確に分けてますから、**特に悩むことなくアンドロイドを破壊し続ける**でしょうね。

水野　**全然面白くない**じゃないですか。

堀元　で、**最終的にはタモリさんを破壊する**でしょうね。

水野　いい加減にしなさい。怒られますよ。

堀元　以上、名作言語学古典 SF の紹介でした！

水野　皆さんは、こんな見当違いの応用をしないようにお願いしますね！

＊『アンドロイドは電気羊の夢を見るか？』（早川書房）
　アメリカの作家フィリップ・K・ディックの代表作である SF 小説。監督リドリー・スコットの映画『ブレードランナー』の原作でもある。タイトルがよくパロディされることでおなじみ。

第 **2** 章

★ ★ ★ ★ ★

「バテる」沼

「あ」と「い」は
どちらが大きい？

水野　突然ですが、「小さい」と「mini」の共通点は何でしょう？

堀元　おっ、珍しく簡単だ。どちらも「小さい」という意味ですよ。

水野　他には？

堀元　……他？　他とかあんの？　もう十分じゃない？？？

水野　いえいえ、それ以外にも見つけてください。

堀元　1個答えが分かってると、もう探す気が起こらないです。

水野　**精神的に向上心のないものは馬鹿**ですよ？

堀元　**夏目漱石っぽい煽り**やめて。

＊「精神的に向上心のないものは馬鹿」
　夏目漱石の著書『こころ』の中で、Kが言った言葉。

夏目漱石
（1867年2月9日〜
1916年12月9日）
教師、小説家、英文学者。
本名は夏目金之助。代表作
に『吾輩は猫である』『坊っ
ちゃん』『こころ』などが
ある。

怪獣の名はなぜガギグゲゴなのか

水野 今回のテーマを端的に言うと、**怪獣の名はなぜガギグゲ
ゴなのか**です。これ、すごい売れた本のタイトルでもあ
るんですけど。

堀元 あっ、すごい親しみが湧いた。夏目漱石っぽい煽りから
入ったから、もう終わりかと思ったけど。

水野 この問題、実は大昔から考えられてたんですよ。

堀元 へえ。50年前とかですか？

水野 **ソクラテス**が考えてたんです。

堀元 あっ、想像より全然昔だった。2500年
前じゃないですか。

水野 ソクラテス、エラくない？

堀元 いや、っていうかソクラテスの時代に怪獣いないでしょ。

水野 怪獣はいないですね。

ソクラテスが考えてたのはもう少し抽象度の高い、**言
語の音に意味はあるのか**という問題です。

堀元 ああなるほど。たしかに同じ問題ですね。

水野 ソクラテスの弟子**プラトン**の著作『**クラ
テュロス**』で、「モノの名前はどうやって
つけられるのか？」という**論争**が描かれ
てます。

古代ギリシアでよくある、**対話本**です
ね。『**言語沼**』と一緒。

堀元　この本は由緒正しいフォーマットですね。

水野　で、ソクラテスの陣営は**名前はそのモノ自体の本質を表さなければならない**、平たく言えば「**音には意味があり、その意味とモノの特性がリンクしている**」と主張します。

堀元　なるほど。

水野　一方、相手の**ヘルモゲネス**の陣営は……。

堀元　怪獣ですか？

水野　怪獣じゃないです。たしかに名前は怪獣っぽいけど、古代ギリシアの人です。

堀元　失礼しました。怪獣の登場が待ちきれなくなっちゃった。

水野　しばらく出てこないので我慢してください。

＊『怪獣の名はなぜガギグゲゴなのか』（新潮社）
　黒川伊保子（著）

＊『クラテュロス』
　プラトンの初期対話篇の1つ。クラテュロスとヘルモゲネスが名前について議論していたところにソクラテスが加わり、名前にまつわる問答が始まる。なお、後半ではソクラテスは自身の「単語＝物事の音声的な模倣」説を批判的に検討し、ヘルモゲネスの意見も取り入れる。

ソクラテス
（B.C. 470年頃〜B.C. 399年）
アテナイ出身の古代ギリシアの哲学者。西洋哲学の基礎を築いた人物の1つことで有名。クサンティッペという悪妻を持つことで有名。ソクラテスはこの悪妻に尿瓶の尿をかけられたらしい。かわいそう。

プラトン
（B.C. 427年〜B.C. 347年）
ソクラテスの弟子　古代ギリシアの哲学者。
「プラトニック・ラブ」という言葉はプラトンに由来するが、本来の意味は「オジサンが美男子を抱かないこと」。

ヘルモゲネス
ソクラテスの友人。
「音に意味はない」との意見を展開。

単語とは、音声による模造品である

水野　相手のヘルモゲネスは、**音に意味はない派**だったんです。

堀元　なるほど。ソクラテスと対立してるから、議論すると。

水野　そうです。このときのソクラテスの表現がカッコよくて、**「単語とは、模倣される対象の音声による模造品」**だと言ってるんですよ。

堀元　……なんかカッコいいけど、よく分かんないですね。

水野　たとえば、銃声。
　　　銃声ってどうやって表現します?

堀元　**バーン！** とかじゃないですか?

水野　銃って、実際に「バーン！」って鳴ってますか?

堀元　……ああ、鳴ってないのか。
　　　「バーン！」っぽい音だなぁと思って「バーン！」と表現することにしたぐらいの感じ?

水野　そうなんですよ。「我々がそれっぽい音を選んで、対象に名前を与えてる。それが単語である」とソクラテスは言ってます。

堀元　いや、「バーン！」みたいな擬音語はそうでしょうけど。他の単語は違うんじゃないですか?

水野　それが、他の単語もそうなんです。

堀元　ウソだぁ。

水野　たとえば、ひよこ。ひよこって、なんでひよこっていうか分かります？

堀元　考えたこともないです。ひよこはひよこでしょ。

水野　**ぴよぴよ鳴く**からです。

堀元　えっ、あっ、そうなの!?

水野　こうやって、元を正せば色んな単語**が音声による模造品**になるよね。ソクラテスが言ってるのは、そういうことです。

堀元　まだ納得してないですけどね。**銃声**と**ひよこ**しか証拠がないから。

水野　これからドンドン聞いていけば納得するはずです。先に進みましょう。

堀元　声に出して思いましたけど、『銃声とひよこ』っていうラブコメありそうですよね。声がデカいコワモテの少年と、声の小さいおとなしい少女の恋愛を描くヤツ。

水野　**先に進みましょう。**

タケテ・マルマ実験が切り開いた「音象徴」

水野 こういう、「音に意味がある」みたいな話は、**音象徴**と
呼ばれています。20世紀初頭に生まれた学問分野です。

堀元 分かりやすいネーミングですね。音が何かを象徴して
る。

水野 この学問分野が生まれるきっかけになったのが、**タケ
テ・マルマ実験**です。

堀元 なんか面白そう。

水野 タケテ・マルマ実験では、以下のギザギザの図形とブ
ヨブヨの図形を被験者に見せて、「**どちらがタケテで、ど
ちらがマルマでしょう?**」と聞きます。

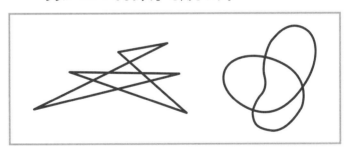

堀元 あっ、実験の趣旨を完全に理解したわ。

水野 堀元さんならどっちを選びますか?

堀元 ギザギザの方が「タケテ」で、ブヨブヨの方が「マル
マ」です。なぜかそんな感じがする。

水野 おっしゃる通り。ほとんどの人が堀元さんと同じ回答を

します。

しかも、その人の母語にかかわらず。

堀元　お〜、やっぱり。音には付随するイメージがあるんだ。楽しいですね。

水野　ということで、タケテ・マルマ実験をきっかけに、**音象徴**という学問分野が生まれたんですが……。

堀元　ですが……？

水野　# あんまり流行りません。

堀元　なんで？　せっかく面白い話なのに。

ソシュール

水野　1つには、**ソシュールの影響**です。

堀元　あっ、聞いたことある。ビッグネームですね。**構造主義**を創始した人だ。ライトな哲学本で読んだことあります。

水野　そうです。**近代言語学の父**と言われることも多いですね。

堀元　そのソシュールのせいで、音象徴が流行らなかった？

水野　そうなんですよ。彼は**恣意性**（しいせい）という概念を提唱しておりまして、「音と意味に結びつきはない」と主張しているんですよね。

堀元　お、**音象徴アンチ**ですね。

水野　そうです。ソクラテスと真っ向から対立する主張ですね。

堀元　いいマッチメイクだ。**ソクラテス**

vs. ソシュールですね。年末特番の格闘技番組で扱えるぐらいのビッグネーム対決。

水野 さて、ソシュールは堀元さんでも知ってるぐらいビッグネームなので、ソシュール派の人たちが言語学界隈では大きな力を持ってました。

堀元 うん。

水野 だから、ソシュール派の影響で、音象徴はイマイチ流行らなかったんです。

堀元 出た。そのパターン。**ニュートン**力学が信奉されすぎていて**アインシュタイン**の相対性理論が受け入れられなかったのと同じだ。

水野 そうですね。まあ実際のところは完全にそうだとは言い切れず、**サピア**や**イェスペルセン**といった偉大な言語学者たちは音象徴に関心を持ってはいました。
　　しかし、こうした研究が加速したのは、別の角度からの出来事がきっかけだったんです。

堀元 そのきっかけとは？

水野 **心理学**です。

堀元 えっ!?　言語学じゃないの!?

水野 そうなんです。心理学の領域で、あるセンセーショナルな報告がなされて、そこから一気にブームが始まります。

堀元 めちゃくちゃ楽しみだ。どんな報告なんだろう。

＊構造主義
　ある社会や文化の裏側には、それぞれ目に見えない仕組み（＝構造）があり、人は無意識のうちに構造に影響されて行動するのだ、という考え方。1960年代にフランスで登場し、大流行した。

フェルディナン・ド・ソシュール

（1857年11月26日〜1913年2月22日）

スイスの言語学者。

構造主義を提唱。「近代言語学の父」と呼ばれている。が、生前はあまり有名ではなかったようで、彼の講義の出席者はたった6人だった。しかし、その講義メモをもとにした本が言語学史を大きく動かした。

アイザック・ニュートン

（1642年12月25日〜1727年3月20日）

イングランドの科学者。

力学の基礎を築いた一大人物だが、意外とオカルトっぽい研究をたくさんやっていた。特に錬金術研究が有名。

アルベルト・アインシュタイン

（1879年3月14日〜1955年4月18日）

ドイツの物理学者。

相対性理論を提唱。1921年にノーベル物理学賞を受賞した。

エドワード・サピア

（1884年1月26日〜1939年2月4日）

アメリカの構造言語学者、人類学者。

アメリカの構造言語学を主導した。「サピア＝ウォーフの仮説」と呼ばれる学説を提唱。ピアノの名手で、ソナタを作曲したりしていた。

オットー・イェスペルセン

（1860年7月16日〜1943年4月30日）

デンマークの言語学者。

英語文法が専門。

ブーバ・キキ効果

水野　その報告は**ラマチャンドラン**が命名し
　　　た**ブーバ・キキ効果**です。

堀元　なんか同じようなヤツがまた出てき
　　　ましたね。

水野　ええ。この報告は、ある実験に基づ
　　　いてます。以下のギザギザの図形と
　　　ブヨブヨの図形を被験者に見せて、「**どちらがキキで、ど
　　　ちらがブーバでしょう?**」と聞きます。

堀元　**まったく同じじゃないですか。**

水野　そうですね。

堀元　え……使い回しじゃん。ワクワクを返してよ。
　　　まったく同じなのに「心理学の領域でセンセーショナル
　　　な報告がなされました」とか言うの、景品表示法違反
　　　じゃない?　優良誤認表示じゃない?

水野　落ち着いてください。まだ話はこれからです。

堀元　じゃあ、とりあえず聞きますね。ダメだったら消費者セ
　　　ンターに駆け込みます。

水野　まずは実験結果を考えましょう。どっちがキキで、どっ
　　　ちがブーバですか？

堀元　ギザギザの方が「キキ」で、ブヨブヨの方が「ブー
　　　バ」です。

水野　ですよね。多くの被験者もそう答えました。ここまでは
　　　まったく同じです。

堀元　うん。

水野　ここからがポイントなんですが、**脳の一部に損傷があ
　　　る人**に同じ実験をしてもらいました。

堀元　おっ、面白そう。

水野　すると、脳の**角回**という
　　　部位に損傷がある患者は、
　　　多くの人が選ぶ方を回答
　　　できない。

　　　つまり、**ランダムでキキと
　　　ブーバを選んでしまう**ことが分かりました。

堀元　えっ、あっ、すごい。**音象徴を司る脳の部位
　　　が分かった**ってこと？

水野　はい、そう考えられます。「なんだか分からないけど、
　　　この音はこういう印象だなぁ」という処理をしてるのは、
　　　角回だと推測されました。

堀元　めちゃくちゃすごい。脳の一部だけが音象徴の処理に
　　　関係してたんですね。

角回

水野　この事実がめちゃくちゃ面白かったので、ラマチャンド
　　　ランをきっかけに、音象徴ブームが再過熱します。

堀元　すげえ〜!! ラマチャンドラン、偉大すぎる!!
　　　お笑いブームみたいなもんですね。定期的に盛り上
　　　がったり盛り下がったりするし、カリスマが出てくると
　　　一気に加速する。

水野　そうかもしれません。

堀元　そういえば、"ラマチャン
　　　ドラン"という音の響きも、
　　　お笑い芸人感があります
　　　よね。ちょっと尖ったネ
　　　タをやるコンビっぽい。

水野　ああ、まあ分からんでも
　　　ないかな。

芸人 ラマチャンドラン

堀元　ラマチャンドラン、M-1 の大舞台で前衛的なネタをやり、
　　　「これは漫才か?」と物議を醸すタイプのコンビですね。

水野　違います。学者の名前ですよ。

堀元　前衛的すぎて評価されず、優勝は逃すんだけど、
　　　Twitter では「明らかに一番面白かったのはラマチャン
　　　ドラン」と絶賛されますよね。

水野　**ないM-1の話を延々するの、やめても**
　　　らっていいですか。

＊角回
　脳部位の1つ。大脳領域にあり、頭頂葉の外側面にある。

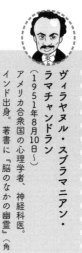

ヴィラヤヌル・スブラマニアン・ラマチャンドラン

（1951年8月10日〜）

アメリカ合衆国の心理学者、神経科医。インド出身。著書に『脳のなかの幽霊』（角川書店）などがある。

「お」は「い」より大きい

水野　さて、そんな音象徴の研究ですが、そろそろ内容を見
　　　てみましょう。

堀元　具体的に、「この音にはどんなイメージがあるのか？」
　　　ということですね。

水野　はい。さっそくですが、**母音には大きさがあり
ます。**

堀元　一応確認しますが、声がデカいという話ではないです
　　　よね？

水野　そうです。声の大きさは関係なく、**母音が想起させるサ
イズ感**というのがあります。

堀元　よく分からんな……。

水野　**ミル・マル実験**というのがあります。

堀元　また出た！　似た実験シリーズだ！

水野　ここに、大小２つの机があります。

　　　どちらかの名前が「ミル」で、もう一方が「マル」です。

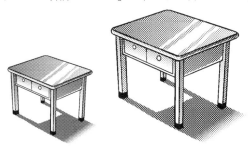

堀元　ふむふむ。

水野 どちらの名前が「ミル」だと思いますか？

堀元 うーん、さっきまでの実験に比べると微妙だけど、小さい方が「ミル」で、大きい方が「マル」じゃないかな。

水野 そんな感じします？

堀元 するね。逆だとあんまりしっくり来ない気がする。

水野 ありがとうございます。実験をするとほとんどの人が堀元さんと同じ回答をします。

堀元 おお、僕は一般的な感覚なんだね。

水野 そうです。つまり、**音にはサイズ感がある。**

堀元 ミルとマルだから……「み」と「ま」を比べてる？

水野 というか、母音を比べてますね。
「み」と「ま」は子音が両方「m」なので、「i」と「a」、つまり「い」と「あ」を比べてます。

堀元 なるほど。**「い」より「あ」の方が大きい**んだ。

水野 そうです。他の母音も含めてイメージをまとめると、ざっくりこんな感じ。

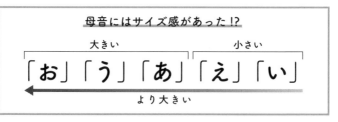

堀元 なるほど、「お」「う」「あ」は大きく感じるんだ。

水野 厳密ではないですが、そう思ってもらってかまいません。

堀元 ってことは、白鵬（はくほう）、めっちゃデカいですね。

水野 元横綱ですからね。さすがに名前もめっちゃデカいで

すよね。

堀元　あと、**ハプスブルク家**もめっちゃデカ
いですね。

水野　ヨーロッパ全体を牛耳ってた一族で
すからね。やっぱり名前もめっちゃ
デカいですよね。

堀元　あと、**ドヴォルザーク**もめっちゃデカ
いですね。

水野　偉大な作曲家ですからね。さすがに
名前もめっちゃデカいですよね。

堀元　あと、**サボタージュ**もめっちゃデカい
ですね。

水野　# 話進めていいですか。

堀元　ごめんなさい。つい楽しくなっちゃっ
た。

水野　ここで本章の冒頭のクイズに戻ります。
「小さい」と「mini」の共通点はなんですか？

堀元　ああ〜!! なるほど!! ピンと来ました!!

水野　さっきの堀元さんの答えは、どっちも「小さい」でした
ね。
では、「小さい」という意味であるだけでなく、他の共
通点は？

堀元　両方「い」という母音が多用されてますね。小さい母
音だ。

水野　そうなんです。他には little とか diminutive も「小さ
　　　　　　　　　　　　リトル　　　　ディミニュティブ

い」という意味で、小さい母音が使われてます。

堀元　すげえ～!!　ホントだ!!

水野　さらに言うと、「**大きい**」は「**お**」だし、「**large**」は「**あ**」なので、両方とも大きい母音が使われてますね。

堀元　めちゃくちゃすごい。まったく意識したことがなかったけど、基本語彙も音象徴にマッチしてるんだ。

水野　これを知ると毎日が楽しくなりますよね。「**音象徴に合ってる!**」ってテンションが上がる瞬間が増えます。

堀元　すごい。明日から毎日が楽しくなりそうです。

水野　でしょう?　**毎日を楽しむためのビッグチャンスですよ。**

堀元　そうですね!

　　　………。

　　　あれ、よく考えたら「**big**」は「**大きい**」なのに、最初が「**い**」で小さい母音ですね。

水野　あっ……。

堀元　話に合ってないですよね?

水野　いや、まあ、これは「傾向がある」という話であって、例外はもちろんありますよ。

堀元　つまり、水野さんは僕らを納得させるために都合のいい例ばかりを持ってきてたワケですね?

水野　いや、まあ、せっかくならキレイにまとまった話の方がいいので……。

堀元　都合のいいものだけを選び取って論証するのってよくないですよね?　誠実さを欠いた行為であり、こちらを騙そうとしてるとすら言える。いかがなものか。

水野　いや、あんたも散々「白鵬は大きい」とか言ってたじゃん……。

堀元　よく考えたら、<ruby>稀勢の里<rt>きせのさと</rt></ruby>は最初と2つ目の母音が「い」と「え」で小さいですからね。力士の名前なんてまちまちですよ。さっきは偶然都合のいい名前を持ち出されて騙されました。

水野　力士の話を持ち出したのはあんただよ!?

堀元　そもそも、「水野」も最初の母音が「い」で小さい母音なのに、水野さん180cm近くありますよね？
全然ハマってないし、名前を変えた方がいいんじゃないですか。

水野　頼むから例外を許してくれよ。あくまで傾向の話なんだって！

＊サボタージュ
　フランス語で木靴を表す「サボ」からできた語。元々は労働者による意図的な妨害行為を指した。「サボる」の語源にもなっている。

＊ハプスブルク家
　世界史に出てくるめっちゃすごい家系。政略結婚で権力を広げた。ハプスブルク家の人の肖像画はよく顎が出ている。

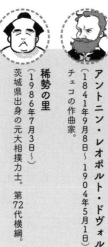

白鵬

（1985年3月11日〜）

モンゴル出身の元大相撲力士。第69代横綱。

アントニン・レオポルト・ドヴォルザーク

（1841年9月8日〜1904年5月1日）

チェコの作曲家。

稀勢の里

（1986年7月3日〜）

茨城県出身の元大相撲力士。第72代横綱。

四天王のキクコは強い名前かもしれない

水野　続いて、子音の話に入りましょう。

堀元　はい。

水野　**阻害音は尖ってて、共鳴音は丸い印象**になります。

堀元　阻害音……？　共鳴音……？　知らない言葉の連続なんですが……。

水野　濁点をつけられる子音を**阻害音**、つけられない子音を**共鳴音**だと思ってください。

阻害音と共鳴音の見分け方

●**阻害音**：k, s, t などのように濁点をつけられる子音。口の中に閉鎖を作ったり、狭めたりして、息の流れを妨げることで発音される。

●**共鳴音**：n, m, y, r, l, w などのように濁点をつけられない子音。阻害音に対して、気流の妨害は起こらずに発音される。

堀元　なるほど。簡単ですね。kとかsとかが阻害音で、nとかmは共鳴音なんだ。

水野　そうです。で、もう一度言いますが、**阻害音は尖っている印象、共鳴音は丸い印象**を与えます。

　　　だから、**共鳴音が多い女性の名前は魅力的に感じられる**ということが実験で確かめられています。

堀元　へえ〜！　すごい！

水野　日本人で言うなら、まり、ゆり、るり、みたいな感じで
　　　すね。

堀元　海外の人で言うなら、ローラ、メアリーとかもそうです
　　　ね。

水野　そうですそうです。

堀元　そういえば、初代ポケモン四天
　　　王の**キクコ**は女性ですが、**阻害
　　　音まみれ**ですね。

水野　たしかに、濁点をつけると**ギグ
　　　ゴ**になりますね。すべて阻害音
　　　だ。

堀元　つまり、あまり魅力的でない……？

水野　でも、阻害音は尖った印象なので、強そうではあるん
　　　じゃないですかね。多分、キャラクター設定には合って
　　　ますよ。使ってるポケモンもめっちゃ強かったし。

堀元　そうか。たしかに。反例を挙げたつもりだったけど、ハ
　　　マってる名前なのかも。

水野 　そうですね。ちなみに、男性の名前には阻害音が多くなる傾向があるそうです。

堀元 　言われてみると我々の名前も阻害音たっぷりですね。僕は「**けん**」だし、水野さんは「**だいき**」だ。2人とも阻害音が入ってる。

りょう

水野 　そうそう。

堀元 　あっ、友だちに「りょう」くんがいますが、彼は共鳴音ですよ。

水野 　女性でも「りょう」さんがいますよね。割と女性っぽい名前なのではないですか。

堀元 　あっ、クソっ、また反例を潰されてしまった。勝てない。

水野 　**何と戦ってるの?**

堀元 　あ、でもここまで聞いたら「怪獣の名はなぜガギグゲゴなのか」の答えも見えてきましたよ。
　　　怪獣の音には阻害音をいっぱい使ってOK、みたいなことですよね。

水野 　察しがいいですね。そういうことです。
　　　ゴジラとか**キングギド**ラとか、阻害音まみれですよね。

堀元 　でも、**ガギグゲゴとは限らなくない?**
　　　阻害音なら**カキクケコ**でもいいんじゃないですか。

水野 　もしかしたら関係あるかもしれないのが、**濁音減価**という現象です。

堀元 　濁音減価?

水野　たとえば、「たま」が「だま」になるとイメージが悪くなりますよね。

堀元　ああ、粉ものの料理を作るときとかに「だまになっちゃった〜」って言いますね。たしかにイメージ悪いわ。

水野　こういう**元の単語が濁音になるとマイナスイメージになる現象**を濁音減価といいます。

　　　あと、「果てる」からできた「バテる」もそうです。

堀元　はいはい、「果てる」は何かをやり遂げた感じですけど、「バテる」は途中で失敗した印象ですね。たしかにマイナスイメージだ。

水野　怪獣もそういうイメージからの類推で、濁音が増えてるのかもしれません。

堀元　なるほどね。怪獣の名前を決めてる脚本家とか監督とかって、音象徴の勉強してるんですかね？

水野　してないでしょうね。でも何となく感覚で「強そうな響き」を探すと阻害音や濁音になるんじゃないですか。

堀元　共鳴音や阻害音の特徴とか濁音減価とか、無意識に運用できてるのは面白いね。

水野　そうですね。本書のメインテーマである**我々が無意識に使ってるルール**ですよね。

堀元　あっ、そういえば、**ドクヂワワ**もイラストレーターさんに発注したら、だいぶ怪獣っぽいイラストになりましたよね。

水野 プロローグのアレね。たしかにそうでしたね。

堀元 このイラストを見て無邪気に「怖いな〜」って笑ってましたけど、今になって考えるとアレは濁音減価だったのかもしれません。**チワワよりもヂワワの方がマイナスイメージ**なのかも。

水野 いや、**ドクヂワワは濁音減価とかじゃなくてシンプルに怪獣**なんですよ。**怪獣のイラストを発注したから怪獣が出てくるのは当たり前**なんですよ。

キクコ
初代ポケットモンスターの四天王。ゴーストタイプと毒タイプの使い手。昔、オーキド博士と親しかったと思われるセリフを言うのがエモい。

まとめ－ソクラテスはやっぱり偉かった

水野　ということで、そろそろまとめに入りましょう。

堀元　はい。

水野　本章のテーマを復習すると、ソクラテスは「音に意味が
　　　ある」、ソシュールは「音に意味がない」と言ってまし
　　　た。

堀元　そうでしたね。

水野　でも、現代では音象徴の研究が進んで、ソクラテスの
　　　主張にも分があったことが分かりました。

堀元　音に意味がありましたもんね。サイズ感とか、形の印象
　　　とかが宿ってる。

水野　しかも、ソクラテスは「音に意味がある」というだけで
　　　なく、こんなことも言ってるんですよ。

　　　a は「大きい」を意味する。

堀元　お～!!　思いっきりさっきの話だ!!「あ」は大きいって
　　　ことですね!

水野　そうです。そして、**i は「細やかな」を意味する**。

堀元　こっちもすごい!!「い」は小さい母音だったから、ほ
　　　ぼ合ってますね。

水野　そうなんです。**ソクラテスは2500年前に、
　　　現代の研究成果を予言していた**んです。

堀元　すごすぎ。ソクラテス、超エライですね。

水野　さすがですよね。

堀元　ちなみに、ソクラテスうんちくを1つ足しておきますと、ソクラテスはめっちゃ醜男（ぶおとこ）だったらしく、弟子のプラトンに「我が師ソクラテスは世界で1番醜（みにく）い。しかし1番賢い」と言われてたらしいです。

水野　**完全にナメられてますね。**

堀元　弟子だったら、たとえ思ってても普通は言わないですからね。

「うちの師匠、世界一醜いんだぜ！」って。

水野　僕からもソクラテスうんちくを1つ足しておいていいですか？

堀元　どうぞ。

水野　ソクラテスは、**文字を否定**してました。

堀元　えっ、どういうこと？

水野　当時は書き言葉が徐々に広がってる時代だったのですが、ソクラテスはその流行を嫌がってました。**文字に頼ると記憶が破壊される**と。

堀元　**そんなことないだろ。**

水野　ずっと対話をしてきたソクラテスとしては、流行り始めた書き言葉が許せなかったんでしょうね。

堀元　**老害**じゃないですか。

水野　やめなさい。偉人になんちゅうこと言うんですか。

堀元　自分が触れてこなかった新しいものを否定する人、典型的な老害ですよね。

水野　やめなさいっての。ちなみに、ソクラテスの文字嫌いを表すエピソードもあります。

堀元　おっ、エピソードも残ってるんですね。

水野　ソクラテスは、演説を暗唱しようとする青年がカンニングペーパーをチラッと覗いちゃうシーンを目撃しちゃったらしいです。

堀元　カンニングしてたと。

水野　はい。で、ソクラテスは彼にブチギレます。「**なんで文字なんか使ってるんだお前！**」と。

堀元　あっ、**そっちに怒るんや**。カンニングしたことじゃなくて。

水野　**文字を使ったら記憶が破壊されます**からね。

堀元　水野さんもイジってるじゃん。ソクラテスを**ワケ分からない理屈を持ち出すジジイ**としてイジってるじゃん。

水野　違います。僕はソクラテスを尊敬してます。

堀元　ホントに？

水野　ソクラテスは現代にも通ずることを言ってるんです。
　　　いわく、「文字に書いちゃうと、**読むのにふさわしくない人にまで届いちゃう**じゃん。**誤解されて大変なことになる**よ」って。

堀元　**Twitter じゃん。**

水野　Twitter ですよね。

堀元　ソクラテス、Twitter 見てたのかな？

水野　そんなわけあるか。

堀元　いや、でもドンピシャで現代の SNS を言い当ててすごいですよ。
　　　さすが、世界最高峰の知性は鋭さが違いますね。

水野　そうですよ。よかった、なんとかソクラテスの名誉を回
　　　復できました。

堀元　ハッピーエンドになったところで、そろそろ今回の内容
　　　をまとめましょうか。

水野　母音、子音はそれぞれ意味のイメージがあり、特に教
　　　わってないのになぜか理解できる。そんな話をしてきま
　　　した。

堀元　そして、それを言い当てたソクラテスはすごかった。そ
　　　んな話ですね。

水野　そうです！　ソクラテスの未来予知シリーズは他にも
　　　あって、SNS 時代の問題をドンピシャで言い当てたり
　　　もしてましたね。

堀元　……。

水野　あれ、どうしたんですか。浮かない顔して。

堀元　ソクラテス、たしかにすごいんですけど、**老害で醜男と
　　　いう要素の方がインパクトが強いので、そっちだけ独り歩
　　　きしそうだな**と思って。

水野　あっ、まさに文字の弊害だ。**ダメな広がり方**してる。

堀元　僕も明日ツイートしそうですもん。「**ソクラテスは老害で
　　　醜男**」って。

水野　ソクラテスが指摘した問題を実際に体験したところで、
　　　本章は終わりにしましょう。

堀元　次章もお楽しみに！

※説明の簡便化のために本書では「a」と「i」と説明したが、ソクラテスはギリ
　シア語の話をしているので「α」と「ι」が正しい。

第 **3** 章

★ ★ ★ ★ ★

「えーっと」沼

「えーっと」と
「あのー」は違うもの

堀元　さあ、今回も語っていきましょう。
　　　水野さん、今回のテーマは何ですか？

水野　今回のテーマは、えーっと……。

堀元　……。

水野　……。

堀元　えっ!?　何？　なんで黙ったの？

水野　え!?　いや、堀元さんのリアクション待ちですよ！

堀元　は？　水野さんのテーマ発表を待ってるんですけど？

水野　あ、聞き逃したんですね。じゃあもう1回言いますね。

堀元　聞き逃したのか……？　まあ、お願いします！

水野　えーっと……。

堀元　……。

水野　•••••。

堀元　•••••。

水野　何か反応してくださいよ。

堀元　え？　僕また聞き逃しました？　テーマ発表を待ってる
　　　んですけど。

水野　何回言わせるんですか！

　　　今回のテーマは「えーっと」です。

堀元　あ、それがテーマ発表だったのか。「えーっと」は言い淀んでたんじゃなくて、今回のテーマが「えーっと」だったということですね。

水野　そうです。まあ、必ずしも「えーっと」には限らず、**あのー**「あのー」とか、**えーっと**「そのー」とかも、**そのー**対象になるんですけど。

堀元　全然入ってこない。

水野　ということで、ズバリ今回のテーマは、**フィラー**ですね。言い換えるなら**つなぎ言葉**です。

堀元　言い淀んでるときに出る「えーっと」や「あのー」のことですね。

水野　はい。こういうのも、言語研究の対象になります。

堀元　フィラーなんて研究のしようがないと思うんですが……。だって、**意味のない言葉**でしょ？

水野　そう思っちゃいますか……。実はめちゃくちゃ興味深いんですよ。
　　　たとえば、堀元さん、「えーっと」と「あのー」の違いを説明できますか？

堀元　できないです。っていうか、**一緒です**。

水野　お、完全に一緒であると？

堀元　一緒ですよ。言い淀んでるときに使う言葉で、両方とも同じ場面で使いますから。

水野　これが違うんですよね。「**えーっと**」が使えるのに、「**あのー**」は使えない場面があります。

堀元　ウソだ！　そんな場面ないでしょ？

水野　1分あげるので、そういう場面についてちょっと考えて
　　　みてください。

堀元　分かりました。

　　　……。

　　　えーっと……。

　　　全然思いつかないですね。

水野　今まさに、**「えーっと」が使えるのに、「あのー」は使えな**
　　　い場面でしたよ。

堀元　え？　どういうこと？

水野　難問の答えを考えているとき、「あのー」って言います
　　　か？

堀元　あ、言わないかもしれない。

水野　さっきの堀元さんのセリフを「あのー……全然思いつか
　　　ないですね」に差し替えると、なんかヘンだと思いませ
　　　んか？

堀元　たしかにヘンですね。さっきの場面は「えーっと」の方
　　　がしっくり来る。

水野　とまあこんなワケで、実は**「えーっと」と「あのー」は**
　　　同じじゃないんですよ。使えるときと、使えないときが
　　　あるんです。

堀元　すごい。全然気づかなかった。

水野　とまあこんな調子で、フィラーにも、日本語母語話者が
　　　気づいていない秘密が隠されてるんです。今回はこれ
　　　を解き明かしましょう。

フィラーは撲滅すべき？

水野　さて、フィラーの秘密に迫る前に、フィラーについての印象を調査しましょう。ちょうど目の前に**日本語母語話者のサンプル**がいるので。

堀元　僕のことをサンプルとして見るの、やめてもらっていいですか。**アニマシー**を感じてほしい。

水野　堀元さんはフィラーについて、どう思ってますか？

堀元　**邪魔なもの**ですよね。

水野　ズバッと言いますね。フィラーは要らないですか？

堀元　要らないですよ。邪魔だから消した方がいい。
　　　僕は人前に出る仕事を始めてから、フィラーを消す訓練をしました。

水野　たしかに堀元さん、フィラー少ないですよね。

堀元　昔は **TED** のスピーカーに憧れて、あんな感じでプレゼンできるように練習したからね。

水野　TED Talks を見てるとフィラーが少なくてビビりますよね。**カッコいいプレゼン＝フィラーが少ない**という傾向がある。

堀元　まあ、フィラーを減らしたところで**僕は人前でプレゼンするような特筆すべきアイデアがないんですけど**……。

水野　**悲しすぎる。**

堀元　とにかく、フィラーは邪魔なので要らないと思いますよ。TED スピーカーもみんな減らしてるし、僕自身もフィ

ラーを減らしてから、喋<ruby>喋<rt>しゃべ</rt></ruby>りが聞きやすくなったと思います。

水野 　堀元さん、**それでもフィラー使用経験者ですか？**

堀元 　**新しい煽りだ。**

水野 　何度もフィラーを使ったことがあるのに、その機能についてまったく理解してないですね。

堀元 　フィラーに機能があるんですか？

水野 　そうです。**フィラーは情報を伝達してます。**

堀元 　マジで？　僕、要らないものだと勘違いした挙げ句、**わざわざ訓練で消しちゃったんですが……。**

水野 　まるで昔話の『<ruby>姥捨山<rt>うばすてやま</rt></ruby>』のようですね。役に立たないものだと思って捨てようとするけど、実は役に立っていたという。

堀元 　これが現代<ruby>寓話<rt>ぐうわ</rt></ruby>『**フィラー捨山**』ですね。

水野 　ちょっと何言ってるか分かんないです。

＊アニマシー
38ページ参照。

＊TED
Technology, Entertainment, Design の略。世界中の著名な人々が、さまざまなテーマについて講演する機会を設け、TED Talks としてオンラインで無料配信している非営利団体。

「えーっと、ちょっといいですか？」に イラッとするのはなぜ？

堀元 フィラーは情報を伝達してるって言いましたけど、ホントですか？

水野 ホントですよ。

堀元 あ、分かりました。**フィラーが多ければ「こいつは喋るのがヘタ」という情報を伝達してる**とか言い出す気でしょ？

水野 そんな意地悪なこと言わないです。もっとちゃんとした情報伝達ですよ。

堀元 うーん、にわかには信じがたいなぁ。

水野 その謎を解く鍵が、最初の「えーっと」と「あのー」です。

堀元 さっきのヤツね。
　　「**えーっと……全然思いつかないですね**」は自然なのに、「**あのー……全然思いつかないですね**」はちょっとヘンっていう。

水野 こういう事例、他にも考えてみましょうか。
　　何でもいいので、僕に九九の問題を出してみてください。

堀元 8×7 は？

水野 **あのー……56 です。**

堀元 **なんかヘンだな。**

水野　もう1回出してみてください。

堀元　8 × 7は？

水野　**えーっと……56 です。**

堀元　あ、今度は自然だな。

水野　とまあこんな感じで、「えーっと」が使えるけど「あのー」が使えない事例が他にもありました。

堀元　たしかに、九九で悩んだら「あのー」じゃなくて「えーっと」だね。なんでだろう？

水野　ここまで来たら、次は何かやりたくなるんじゃないですか？

堀元　**「あのー」が使えるけど「えーっと」が使えない事例を探**すことじゃない？

水野　さすがですね。

　　　さっきの逆の事例を見つけたら、答えに近づけそうですよね。

堀元　そうだね。並べて考えたら謎が解けそう。

水野　では考えてみましょう。「あのー」しか使えなそうな事例、思いつきますか？

堀元　**あのー、アレですよ、アレ。**

水野　そういう小芝居いいから。

堀元　いや、でも今の芯を食ってません？

　　　「あのー、アレですよ、アレ」って、「えーっと、アレですよ、アレ」より自然じゃない？

水野　うーん、そんな気もするけど、でも「えーっと、アレですよ、アレ」も言えるんじゃない？

堀元　そうか。じゃあ分かんないですね。

水野　もう諦めます？

堀元　強いて言うなら、**ダイオード**の陽極のことを「アノード」と言いますが、「えーっとド」にはなりませんね。

水野　**先に進みましょう。**

堀元　賢明な判断です。

＊　＊　＊

水野　こういう状況を考えましょう。

　　　堀元さんが街を歩いてると、知らない人に声をかけられました。

堀元　はい。

水野　そのときに、「**あのー、ちょっといいですか?**」と言われたとします。

　　　これはどういう印象ですか？

堀元　まあ、普通ですね。

水野　ではこれが「**えーっと、ちょっといいですか?**」だったら？

堀元　うーん……なんか違和感ありますね。

水野　どう違和感があります？

　　　リアルに想像してください。知らない人が街角で話しか
　　　けてきて、「えーっと、ちょっといいですか？」って言
　　　われたら……。

堀元　あ、もしかして**なんか腹立つ**……？

水野　ですよね！　さすがいい感性してますね。

堀元　お、合ってるんだ？

水野　合ってます。皆さんの感覚とも合致してるんじゃないで
　　　しょうか。

　　　「あのー、ちょっといいですか？」と「えーっと、
　　　ちょっといいですか？」を比べたら、前者の方が**丁寧**
　　　に聞こえません？

堀元　たしかにそうですね。

　　　めちゃくちゃ失礼なテレビマンが話しかけてくるときは、
　　　「えーっと、ちょっといいですか？」な気がする。

水野　人がせっかく抽象的に話してるのに、具体的に話して
　　　敵を作るのはやめてください。

堀元　それに比べて、「あのー、ちょっといいですか？」は丁

寧な感じしますね。

水野　そうなんですよ。これ不思議じゃない？

堀元　めちゃくちゃ不思議ですね。「**えーっと**」より「**あのー**」**の方が丁寧**ってどういうこと？

水野　その謎をこれから探っていきましょう。

堀元　そういえば、<u>刑事コロンボ</u>は容疑者に対して「あのー、ちょっといいですか？」って言いますよね。容疑者にもちゃんと丁寧に接しようという意志が感じられる。プロ意識が窺えますね。

水野　すごくいいたとえっぽいんですが、残念ながら世代が違いすぎてピンと来ません。

堀元　僕も父がよくモノマネしてたから知ってるだけで、ほとんど見たことはないです。

水野　**あのー**、堀元さん、せめて自分も見たことがある作品でたとえません？

堀元　お、丁寧な指摘だ。プロ意識が窺えますね。

水野　やかましいわ。

＊ダイオード
　電流を一定方向にしか流さない整流作用のある電子部品。一般に「発光ダイオード」のイメージばかり強いが、発光しないダイオードもある。発光しない方も忘れないでほしい。

＊刑事コロンボ
　1968年にアメリカで放送開始した刑事ドラマおよびその主人公。堀元父がよくモノマネすることでおなじみ。

「あのー」を使える限られた状況

水野 ということで、堀元さん「えーっと」と「あのー」の違い、仮説にたどり着きましたか?

堀元 うーん、ちょっと考えていいですか。

水野 では、92ページで答えを言うので、めくる前に読者の皆さんも仮説を考えてください。

堀元 おっと、**メタ発言**だ。

水野 さて、堀元さんから仮説は提出できますか?

堀元 うーん、「あのー」の方が丁寧なことだけは分かったので、**とりあえず「あのー」は人に話しかけるときに使う用法がある**とかじゃないですか?

水野 ああ、**まあちょっとだけ惜しい**ぐらいですね。

堀元 ですよね。自分で言っておいて、全然ピンと来てないもん。

水野 でもいい線いってますよ。もうちょっと極端な状況を想像しましょうか。

独り言だとどうですか?

堀元 独り言ではフィラー言わんでしょう。

水野 いいえ。独り言のときも言いますよ。「**えーっと、財布どこだっけ?**」とか。

堀元 あ、言いますね。

水野 でも、これはどうですか?

あのー、財布どこだっけ？

堀元　あ、**めっちゃヘン**ですね。

水野　ですよね。想像してみると違和感がすごいですよね。

堀元　なんだろう……？

　　　「あのー、財布どこだっけ？」は**幽霊に話しかけてる感じ**がしますね。

水野　お、めちゃくちゃいいですよ。つまり……？

堀元　「あのー」は、「人と話すときだけ使う」んじゃないですか？

　　　だから独り言だと違和感があるのかな？

水野　うーん、近くなってるんですけどね。クリティカルな答えではないですね。

堀元　もうギブアップです。

水野　と、堀元さんは匙を投げましたが、ここまで読んでる皆さんは、いい仮説が浮かびましたか？

「あのー」は○○を検討している ときにしか使えない

水野 では、答えを言っちゃうと、**「えーっと」は心の中での作業に手間取ってるとき**に広く使うことができます。

堀元 フィラーを言うときはだいたい手間取ってない？

水野 そうです。だから「えーっと」は割といつでも使えます。**オールマイティなフィラー**だと思ってください。

堀元 なるほど。

水野 一方、「あのー」が使える場面はもう少し限定的で、自分が今から話す内容は頭にあって、**伝え方を決めるのに手間取ってるとき**にだけ使われます。

堀元 おっ、なるほど！

水野 ピンと来ます？

堀元 最初に言われたらピンと来なかったと思いますが、ここまで散々例文を見てきたので納得しました。

水野 お！ じゃあ、今までのすべての謎が解けたんじゃないですか？

堀元 **かんっぜんに解けましたね。**

水野 めちゃくちゃ納得してますやん。

堀元 たった1つの説明だけで今までのすべての謎が解けたので、感動してます。

水野 その感動を読者の皆さんにも伝わるように、ぜひ堀元さんなりに解説してください。

堀元 　分かりました。

　　　まず、独り言で「あのー、財布はどこだっけ？」はおかしいですね。

だって伝える相手がいないんだから。

水野 　そうですよね。伝える相手がいないのに、伝え方に手間取るっておかしいですよね。

堀元 　ってことは、「**幽霊に話しかけてる感じがする**」という僕の直観は結構よかった？

水野 　そうです。ドンピシャですね。

　　　「人に話しかけるときにしか使えない」みたいなのも割と合ってました。

堀元 　よかった。僕の日本語センスはバグってなかったんだ。

水野 　ちなみに、九九で悩んで「あのー」にならない理由も分かります？

堀元 　分かります分かります。

　　　九九で悩んでるときは「答えなんだっけ？」であって、「この答えをどう伝えようかな」じゃないですもんね。

水野 　そんな状況あります？　九九の答えをどう伝えるか悩む状況。

堀元 　ないですね。

　　　「答えは56なんだけど、ちょっと言い方が直接的すぎるな……」みたいな。

　　　「56って言っちゃうとちょっと卑猥(ひわい)だから、オブラートに包もうかな……」みたいな。

水野 　考えた結果、「あのー……タロットカードの**小アルカナ**

の枚数です……」みたいな。

堀元 **そんな状況ないよ。**

水野 ですよね。

＊小アルカナの枚数
1組78枚あるタロットカードのうち、4つのスートであるペンタクル（コイン）
とカップ（聖杯）、ソード（剣）、ワンド（杖）各14枚、計56枚を構成する組のこと。

子どももフィラーは間違わない

堀元　しかし、フィラーすごいですね。無意識に区別してるんだ。

水野　そうです。相当すごいですよ。
　　　前にも言いましたけど、我々は無意識に大量の処理をしながら言葉を使ってるんですよ。

堀元　しかも今回はフィラーですからね。
　　　考える時間を稼ぐために使う言葉ですよね。

水野　そうですね。

堀元　で、「あのー」か「えーっと」かを正しく使い分けるために我々は無意識に考えてるんですよね。

水野　そうですよ。

堀元　ってことは、**フィラーを考えるためのフィラーが出現するかもしれない**ですね。

水野　またすぐにそうやって**メタ構造**をやろうとする。

堀元　だって、「あのー」を使うべきなのか「えーっと」を使うべきなのかを迷ったら、そのフィラーが出ちゃいますよね。この場合のフィラーは……。

水野　いや、だから無意識のうちに処理してるから、そもそも迷うことがないんですよ。

堀元　まあ僕らはフィラーを使い慣れてるからそうですけど、初心者の場合は迷うかもしれないじゃないですか。

水野　初心者って誰だよ。

堀元　知らんけどホラ、言葉を憶えたての子どもとかさ。

水野　ところがどっこい、**フィラーは子どもでさえも間違わない**らしいですよ。

堀元　えっ。

水野　年を聞かれたらちゃんと「えーっと」を使うし、独り言で「あのー」と言ってしまうこともない。

堀元　すごいじゃん。子どももちゃんと使い分けてるんだ。

水野　我々も理解してないルールを、子どもはすでに習得してるんですね。

堀元　本当にすごいですね。我々の無意識。

＊　＊　＊

水野　ちょっと脱線しましたが、話を戻しましょう。
　　　もう1個だけ解決したい問題があります。

堀元　そうでしたっけ。僕はもうだいぶ納得しましたけど……。

水野　知らない人に声をかけられる事例の謎が解けてないですよ。

堀元　あ、そうか。
　　　「あのー、ちょっといいですか？」は話を聞く気になるけど、「えーっと、ちょっといいですか？」は腹立つって話ですね。

水野　そうです。「**あのー**」**は丁寧だけど、「えーっと」は失礼に聞こえると**

いう現象です。

堀元　不思議ですね。

水野　これに対する説明はこうです。「あのー」は見ての通り、指示詞「あの」から生まれてます。

堀元　まあ、語尾を伸ばさず「あの」とも言いますもんね。

水野　そうですね。指示詞の「あの」は聞き手と知識を共有しているときに用いられます。

堀元　うんうん。「前の飲み会で話した**あの人**と、また会ってきたんだけどさ」ってときの「あの人」は、お互いがピンと来てる人だもんね。

水野　はい。そこで、この機能をフィラーの「あのー」も引き継いでると考えてみましょう。
　　　すると、「あのー」は「あなたにも私にも分かる話をしたい」という表明になります。つまり、聞き手への配慮にも繋がるわけです。

堀元　はー、なるほどね。

水野　他にも指示詞由来のフィラーとして「そのー」がありますけど、これは伝えにくいことを言うときとかに使いますよね。

堀元　たしかにね。それでいうと、**そのー**、さっきの説明よりもっとピンと来る仮説を思いつきました。

水野　ややこしいことするな。どんな説ですか？

堀元　「あのー」は伝え方を検討してるんだから、「**私は伝え方に気を遣ってますよ**」というアピールにもなるんじゃないですか？

水野　鋭い！　それもあるでしょうね。

堀元　ですよね。だって、伝え方を特に気にするのは目上の
　　　人に接するときだもんなぁ。

水野　そうですね。気心の知れた友だちなら「明日メシ行こう
　　　ぜ」でいいけど、上司なら「○○さんお疲れ様です。
　　　折り入ってご相談がありますので……」みたいになりま
　　　すよね。

堀元　そうか。**「あのー」＝伝え方に悩んでる＝あなたを尊重し
　　　てる**みたいな図式になるのか。

水野　はい。**モジモジアピール**と言ってもいいのかも
　　　しれません。モジモジしてるってことは丁寧に伝えよう
　　　と頑張っているよねっていう。

堀元　すげ～！　「あのー」にそんな役割があったんだ！

水野　堀元さんはフィラーに意味がないと言ってましたが、十
　　　分意味があるんですよ。

堀元　今思ったんですが、アレに似てるかもしれませんね。
　　　Discord とか Slack とかのチャットツールに実装され
　　　てる「入力中」機能。

水野　どういうことですか？

堀元　あの手のチャットツールって、誰かが文章を書いてると
　　　「○○さんが入力中です」みたいなの出てくるじゃない
　　　ですか。

水野　出てきますね。

堀元　いつも即レスの仕事仲間に依頼を送ったあと、しばらく
　　　返事が来ないとちょっと不安になるんですよ。

「この仕事やりたくないのかな？」とか「気分を害したかな？」みたいな。

水野 まあ、そういうときもありますよね。

堀元 でも、「○○さんが入力中です」みたいな表示が出ていると、「あ、頑張って返事を作ってくれているんだな」ってなるので、ちょっと安心できるんですよね。

水野 あー、現象としては似てるかも。

ずっと「入力中」になってると、多分伝え方で悩んで推敲してますもんね。**「あのー」と一緒**ですね。

堀元 モダンなチャットツールは、だいたい「入力中」の機能を実装してますから、そういう意味でもフィラーの必要性は示されてるのかもしれないですね。

＊ Discord
アメリカで開発されたコミュニケーションツール。VTuberはだいたいこれでコミュニケーションを取っている。

＊ Slack
カナダ出身の実業家スチュワート・バターフィールドが開発したコミュニケーションツール。「スッココロ」という小気味いい通知音でおなじみ。

依頼の内容が定まっていない無礼者

水野　ここまで、「あのー」がモジモジしたフィラーであることを話してきました。

　　　伝え方を検討してるアピールだからこそ、丁寧さが出るわけですね。

堀元　すごく納得できました。

水野　一方、「えーっと」は話す内容を検討するときなどに使うフィラーで、モジモジアピール機能は持ちません。だからこそ、丁寧なニュアンスが出ないわけです。

堀元　なるほど。ってことは、**話す内容が定まってないのに依頼しに来ちゃった感**が出るのかもしれませんね。

水野　というと？

堀元　ほら、今の理屈でいうと、「えーっと、ちょっといいですか？」で道を聞くのは、**「あなたに頼むべき内容、なんだっけな？　あっ、道を聞くんだった」って思ってて、かつそれを相手にわざわざ伝えてる**という感じがしません？

水野　なるほど、たしかに。依頼内容を決めずに依頼してくるの、失礼ですもんね。

堀元　そうそう。僕の Twitter にも、よくそういうしょうもない DM が来るんですよ。

水野　またすぐそうやって意地の悪いことを言う。

堀元　「大学生です。100 人規模のイベントをやろうと思って

るのですが、手伝ってもらえませんか？」みたいなヤツ。**ギャラや内容詳細を言わないのはもちろん、名前すら名乗らないヤツ**ね。

水野　やめましょうよ。大学生なんだからしょうがないじゃん。

堀元　あの大学生は絶対「えーっと、ちょっといいですか？」って言ってるでしょうね。通行人に対しても失礼でしょ。

水野　言ってないよ。フィラーは子どもでも間違わないって言ってるじゃん。その大学生も間違ってないよ。

堀元　つまり**失礼なDMを送ってくる大学生は子ども以下であるということであり、彼らは大学でなく幼稚園に行くべきであって……**。

水野　やめなさい。

堀元　すみません。ついカッとなってしまいました。

水野　ちなみにね、「えーっと」が必ずしも失礼になるとも限らないんですよ。「あのー」同様、入れるだけでむしろ丁寧になることだってあるんです。

堀元　ややこしいな。どういうときですか？

水野　先ほどは、人に話しかけられるシチュエーションでした。しかし、こんな状況だったらどうでしょう？

　　　堀元さんは編集者から、「この日までに原稿を書いてください」と依頼されたとします。そのときに、「**ちょっとそれは厳しいです**」と答えるより、「**えーっと、ちょっとそれは厳しいです**」と言った方がなんだか丁寧じゃないですか？

堀元　ホントだ！　どうしてだろう。

水野　「えーっと」は、頭の中に浮かんでるアレコレを隅に追いやって、ある物事を一生懸命考えるときにも使われます。さっきの九九のときにも「**えーっと……56 です**」と言ってましたよね。アレです。

堀元　ふむふむ。

水野　ということは、編集者からの依頼に「えーっと」をつけるのは**真剣に実現可能性を検討してる**っていうアピールになるんです。

堀元　あー、そういうことか！　「今、僕はあなたの依頼にマジメに向き合ってます」って表現してるわけだね。

水野　そうです。ややこしくなったのでもう一度まとめますと、今回は「依頼を断る」というシチュエーションだったからこそ、「えーっと」をつけると丁寧になりました。

堀元　一方、人に話しかけて依頼する場合は、「伝え方を検討してます」アピールとなる「あのー」の方が丁寧になると。フィラーの機能が違うから、ニュアンスがそれぞれ変わってきたわけですね。

水野　そういうことです。

まとめ – 撲滅されかけるフィラーの歴史

水野　冒頭、堀元さんはこう言いました。**フィラーには意味がない**と。

堀元　言いましたね。間違ってましたけど。

水野　そうですよね。フィラーには意味がありました。「今、伝え方に迷ってますよ」というような。

堀元　今回の話のおかげで、フィラーは必要だなと確信しました。チャットツールの「入力中」機能も必要ですもんね。

水野　フィラー撲滅派だった堀元さんも、改心したワケですね。

堀元　そうです。

水野　でもね、ここからは余談なんですけど、フィラーのようなものは、しょっちゅう撲滅されかけてきたんですよ。

堀元　えっ、そうなんですか!?

水野　たとえば、2021年から北海道日本ハムファイターズの監督に就任した**新庄 剛志**さん。

堀元　現役時代からスターだった新庄ですね。えっ、**新庄がフィラー撲滅運動をやってるの!?**

水野　彼は、選手のヒーローインタビューの言葉遣いを矯正しようとしてるんですよ。

堀元　そうなんだ。全然知らんかった。

水野　ヒーローインタビューで選手がよく「**そうですね**」って言いますよね。

堀元　あー、めちゃくちゃ言ってますね。

水野　あれ、どういう意味ですか？　何に同意してるんですかね？

堀元　えーっと……「勝利投手になった気分はどうですか？」とかに対して「そうですね」だから……**何にも同意してない**ですね。

水野　ですよね。だからあの「そうですね」は意味がない言葉で、フィラーとみる研究者もいます。

堀元　なるほど。たしかに考える間のつなぎ言葉だもんね。フィラーだね。

水野　で、新庄さんは選手に対して「そうですね」を禁止しました。つまり、新庄さんはフィラーを消そうとしてると考えることもできるワケです。

堀元　なるほど。さすがだ。新庄らしいですね。彼はカリスマでインタビューも上手かったし、「野球選手は上手く喋れるスターであれ」という思想が見えますね。

水野　新庄さんの肩をめちゃくちゃ持ちますね。

堀元　僕、野球にまったく興味ないんですけど、新庄のスター性が好きすぎて、中学生の頃は新庄目当てで札幌ドームに通ってました。

水野　大ファンですやん。

堀元　そうですよ。だから新庄のインタビューは割と憶えてるし、「そうですね」を避けようとする気持ちもよく分かります。

水野　なるほど、つまりこれはよい試みであると……？

堀元　僕はそう思いますね。

水野 ここで関連うんちくを1つ。

堀元 おっ、何ですか？

水野 1950〜60年代には、ネサヨ運動という動きがありました。

堀元 ほう。聞いたことないな。

水野 これは、文末の「ね」「さ」「よ」は**耳障りなので撲滅すべきだ**という運動です。

堀元 過激だな。「それで**さ**、私は**ね**」みたいなのがダメってことですね。

水野 はい。方言矯正の意味合いがあったらしいですね。このキャンペーンは全国に広がって、参加する学校は85校にものぼったそうです。

堀元 なるほど。**なんか怖い**ですね。

水野 怖いですか？

堀元 怖いですよ。自然で素直な会話を破壊して喋り方を矯正しようだなんて、**独裁者の所業**じゃないですか。

水野 独裁者の所業ですか。

堀元 そうですよ。古典ディストピアSF小説『**一九八四年**』の中で、独裁者ビッグ・ブラザーは「都合のいい言語を国民に使わせることで反抗させない」という施策をやってましたけど、それに近いですね。

水野 自然な言葉を使わせないのはディストピアであると。

堀元 はい。

水野 で、新庄さんはどうなんでしたっけ？

堀元 新庄はスターです。最高のスターです。

水野　新庄監督も選手の自然な言葉を奪ってますけど……？

堀元　いや、新庄は野球選手としてかくあるべしという姿勢を正しく打ち出してるのであって、なんらおかしくないです。野球選手なら観客を楽しませてみせろという意識の表れですよ。

水野　自然な言葉を使わせないのはディストピアであり独裁者なのでは……？

堀元　いや、新庄は選手のインタビューから底上げすることでファンに報いようとしてるんですよ。誰よりもファン思いです。ユートピアです。

水野　**あのー**……堀元さん……。

堀元　おっ。伝え方に悩んでますね。なんですか？

水野　堀元さんって、結論ありきで理屈をでっち上げる**ロジハラ最低クソ野郎**ですよね。

堀元　なんちゅうこと言うんだ。

水野　とまあ、こんなことを言ったとしても問題なく丁寧になるのが**「あのー」の効力**です。

堀元　なってないですけどね。
　　　「ロジハラ最低クソ野郎」は「あのー」で全然打ち消せないですよ。

水野　僕は伝え方に悩んだので、許してください。

堀元　悩んだ結果が悪口だったらもうダメなんよ。

水野　ということで、**フィラーの効力には限界がある**ということも示されましたね。

堀元　「あのー」と言っておけば悪口が丁寧になるとか、そう

いうことはないですね。

水野　皆さんも、くれぐれもお気をつけください。

＊ 『一九八四年』（早川書房）
　1949年に刊行されたイギリスの作家ジョージ・オーウェルが執筆した小説。ハヤカワepi文庫版が読みやすくてオススメ。巻末の附録に独裁者が使う言語の詳細な解説が書いてあって超面白い。

> **新庄剛志**
> （1972年1月28日〜）
> 北海道日本ハムファイターズの監督。元プロ野球選手。
> 高さ約50メートルのドームの天井から登場するという派手なパフォーマンスをしていたが、高所恐怖症である。

一見ノイズだけど、実は意味があるもの

堀元　そういえば、今回のフィラーの話、**宇宙マイクロ波背景放射**に似てますよね。

水野　**なんて???**

　　　「似てますよね」と言われても何のこっちゃ分からないです。

堀元　宇宙マイクロ波背景放射は、ビッグバンの痕跡と言われるヤツです。

　　　これが発見されたから「ビッグバンって本当にあったんだね」ってなりました。

水野　へえ。全然知らないや。

堀元　宇宙マイクロ波背景放射を発見した人たちは、その功績でノーベル賞を獲ったんですよ。

水野　あ、そうなんですね。

堀元　でも、発見した当初は、**「このノイズ邪魔だなぁ」** って思ってたらしいんです。

水野　えっ、ノイズだと思ってたの？

堀元　そうらしいです。

　　　なんかね、彼らは**鳥のフンのせいでノイズが乗った**と思ってたらしいよ。

水野　世紀の大発見が鳥のフン呼ばわりされてたんですね。えらいこっちゃ。

堀元　実際、屋外に設置された巨大なパラボラアンテナみた

いなのを使って放射線を検出してたので、よく鳥のフン
でノイズが乗ってたらしいんですよ。

水野 なんか分からないけどめっちゃ大変そう。

堀元 で、彼らは「謎のノイズをなくすためにはアンテナをキ
レイにしなくちゃ！」って**アンテナの掃除をめっちゃ頑
張ってた**とか。

水野 物理学者、大変ですね……。

堀元 でも結果から言うとこれは間違いで、ノイズじゃなくて
意味のある信号（シグナル）だったんですね。

水野 それがビッグバンがあったことの証明になったと。

堀元 そういうことです。そして彼らはノーベル賞を受賞した。

水野 彼らがちゃんと検証してくれてよかったですね。もし
「鳥のフンによるノイズだなぁ」とだけ思ってたら、人
類は世紀の大発見を逃したワケでしょ？

堀元 ホントですよ。**一見ノイズっぽいものもスルーせずにちゃ
んと考えてみる**というのは、大事な姿勢だね。

水野 たしかにこれ、今回のフィラーの話と丸かぶりだね。
ノイズかと思ったら実は意味があるものだったっていう。

堀元 フィラーの話も面白かったですし、日常で見るノイズっ
ぽいものにちゃんと意識を向けていきたいですね。

水野 本当にそうですね。

堀元 そういう心がけができれば、人間として美**しぐなる**こと
ができますね。

水野 えっ？

堀元 「ノイズではなく実はシグナルなのかもしれない」と意

識するように心がけると、人間として美**しぐなる**ことができます。

水野 ちょっとしょうもなさすぎるので、もう終わっていいですかね？

堀元 ダメですよ。**こういうスルーしたくなるようなものにこそちゃんと目を向けてくださいよ。**ノーベル賞獲れないですよ？

水野 いや、**堀元さんはただのノイズ**なので。邪魔だからスルーで合ってますよ。

堀元 「堀元さんはただのノイズ」はあまりにもひどくないですか？

水野 しかたないです。くだらなすぎるダジャレを言ったらノイズ呼ばわりされますよ。

堀元 うわ〜。僕、今めっちゃ居心地悪いですわ。この世界**のいづ**らさを感じています。

水野 ……ということで、本章は終わりですね。ありがとうございました！

第 **4** 章

★　★　★　★　★

「あいうえお」沼

「あいうえお」は
なぜこの順番なのか？

水野　堀元さん、子どものときに**ひらがな**を習いましたよね？

堀元　習いました。

水野　最初に習ったのは、なんですか？

堀元　そりゃあ、「あ」でしょうね。

水野　次に習ったのは？

堀元　「い」でしょうね。

水野　次は？

堀元　いや、もうよくない？

　　　「あいうえお順」で習ったと思いますよ。

水野　なぜ「あいうえお順」で習ったんですか？

堀元　なぜも何もないでしょう。

　　　ひらがなってのは、「あいうえお順」に並べると相場が

　　　決まってるからね。

水野　なぜ「あいうえお順」に並べるんですか？

堀元　**なぜなぜ期の子どもか。**

　　　そりゃあ、昔の人がテキトウに決めたからでしょ。

水野　いや、違います。

堀元　えっ、違うの？

水野 　はい。

　　　「あいうえお順」はテキトウに並べたのではなく、**論理的に正しい並び方**になってます。

堀元 　ウソだろ？　テキトウに決めたとしか思えないけど……。

「あかさたな」と声に出して気づくこと

水野　堀元さん、「あかさたな」と声に出してみてください。

堀元　あかさたな。

水野　何か気づきませんか？

堀元　いや、まったく……。

水野　本当に？

堀元　あっ、しいて言えば、「赤坂」っていう地名は、かなり「あかさたな」に近いなと気づきました。

水野　**だから何なんですか。**

堀元　いや、何か言った方がいいかなと思って……。

水野　ここで注目してほしかったのは、赤坂ではなく、**調音点**です。

堀元　調音点？

水野　**音を出すために空気を阻害する場所**です。

堀元　何を言ってるのかイマイチ分からない。

水野　そもそも、子音って何か分かります？

堀元　子音……ｓとかｔとかですよね？

水野　堀元さんの答えは例示であって、説明ではないです。

堀元　まあそうか。えーっと……母音と組み合わせて使うヤツ……？　全然分からないな……。

水野　**30年も喋ってるのに、子音が何かすら説明できないんですか？**

堀元　頑張ってるのに、なんでそこまで言われないといけない

んだ……。

水野　子音っていうのは、**口の中で空気の流れを阻害して出してる音**です。

堀元　あー、なるほど。

たしかに「あ」のときは口が邪魔してないけど、「ま」のときは唇（くちびる）が邪魔してる感じしますね。

水野　そうです。唇をつけないと「ま」は発音できないでしょう。

堀元　うん。子音の定義については納得しました。

でもだから何？

水野　このあとビックリするので、もうちょっとだけ我慢してください。

この、空気を阻害する点のことを**調音点**と呼びます。

堀元　「ま」だったら、唇ってことかな。

水野　そうです。「か」だったらどうですか？

堀元　か、か、か……うーん、口の奥の方かな。

水野　そうですね。「軟口蓋（なんこうがい）」と呼ぶ方が正確ですが、まあ口の奥だと思ってもらっていいでしょう。

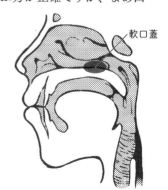

←軟口蓋

堀元　はい。

水野　ここでもう一度聞きますね。「あかさたな」と言って、何か気づきませんか？

調音点を意識してくださ

い。

堀元　あかさたな、あかさたな……あっ!!!　すげえ!!!

水野　でしょう？

堀元　すごいわこれ。

水野　何に気づきました？

堀元　**調音点が、徐々に前に移動してる気がします。**

水野　そうなんですよ。

　　　五十音表って、音声学的にめちゃくちゃ正しい配置な
　　　んです。

堀元　すごい。エラい人がテキトウに決めたんじゃないんだ。

水野　そうです。論理的に正しい配置ですよ。元素の周期表
　　　とかと一緒。

堀元　そんなにすごい配置なら、小学生のときに教えてくれれ
　　　ばよかったのに。

水野　小学生相手に **「五十音表は調音点の位
　　　置を考慮してて音声学的に正しい配
　　　置なのがすごいんだ」** という話をしても響か
　　　ないでしょ。

堀元　それもそうだな。テキトウ言ってごめん。

昔、「は」は「ぱ」だった

堀元　ん……ちょっと待って!!　また騙されるところだった!!

水野　何ですか?

堀元　「あかさたな」まではいいけど、「は」は全然違うじゃん。
　　　「は」は喉から出してるから、調音点はだいぶ後ろですよ。

水野　お、いいことに気づきましたね。

堀元　「あ**は**かさたな」が正しくない?

水野　いいですね。いい気づきですよ。

堀元　やりやがったな。また都合のいいものだけを選んで、僕
　　　を騙そうとしてきましたね。

水野　**何の疑心暗鬼なんだ。**

　　　違いますよ。これには理由があります。

堀元　なんですか。

水野　昔、「**は行**」は「**ぱ行**」だったんですよ。

堀元　何を言っているのか分からない。

水野　そのまんまの意味です。「は」は「ぱ」と発音されてい
　　　ました。

堀元　……?　そんなことある???

水野　発音は時代を経ると変化しますからね。
　　　平安時代は「ぱ」に近い音だったようです。

堀元　え、じゃあ「へいあん」は「ぺいあん」だったってこと?

水野　多分そうでしょうね。
　　　<ruby>藤<rt>ふじ</rt></ruby><ruby>原<rt>わらの</rt></ruby><ruby>不<rt>ふ</rt></ruby><ruby>比<rt>ひ</rt></ruby><ruby>等<rt>と</rt></ruby>は、**ぷぢぃぱらのぷぴちょ**みたいな発音だっ

たらしいですよ。

堀元　**売れないピン芸人じゃん。**

水野　違いますよ。貴族ですよ。

堀元　**きゃりーぱみゅぱみゅ**が売れた頃に勢いで「ぷぢぃぱらのぷぴちょ」って芸名決めちゃって、後悔して名前変えるタイプのピン芸人じゃん。

水野　違います。

堀元　本人はまったく売れてないのに、名前が面白いという理由だけでエピソードトークに使われるタイプじゃん。

おぢぃぱらのぢぴちょ
●●芸能事務所　芸歴14年目

「こないだね、後輩のぷぢぃぱらのぷぴちょと遊んでたんですけど……」って話し始めた段階で「なんやねんそいつ」って小さく笑いが起きるタイプ。

水野　バラエティ番組あるあるではなく、発音の話をしたいんですが……。

堀元　これ**ぱ**失礼しました。僕**ぱ**邪魔をしたいので**ぱ**なく、衝撃的な**ぱ**なしを**ぴ**ろげたくなってしまっただけなので、ぜ**ぴ**続けてください。

水野　（無視）

藤原不比等
（659年〜720年）
飛鳥時代から奈良時代（初期）にかけて活躍した政治家。

きゃりーぱみゅぱみゅ
（1993年1月29日〜）
日本のタレント、歌手。

調音点が前に行く法則

水野 話を戻しましょう。「**あかさたな**」順は、調音点が徐々に前に移動しているという話でした。

堀元 そうですね。「は行」が例外だと反論しましたが、見事に解決しました。

水野 例外を解決したので、納得したんじゃないですか？

堀元 うん、とりあえず解決しました。
「ぱ」は「な」より調音点が前ですからね。

水野 参考までにお伝えしておくと、「ぱ」は調音に唇を使ってるし、「な」は歯茎を使ってます。

堀元 OK です。そこは完全に納得しました。

水野 でしょう。「あいうえお順」は論理的に正しい順番で並んでるんですよ。

堀元 ……えっと……でも…… 「や」とか「ら」とか「わ」も納得感がないんですけど、これについてはどうですか？

水野 僕もイマイチ納得感がないので、**欄外**で説明します。

堀元 欄外……？ 対話形式の本なのに、欄外……？

メタ表現がすごくない……?

水野 破壊していきましょう、<u>第4の壁</u>！

＊第4の壁
「演劇内の世界と観客のいる現実世界との境界」みたいな意味。映画の登場人物がいきなり画面越しに話しかけてきてドキッとする演出を「第4の壁を破る」と表現することが多い。正確な使い方なのかよく分からないが、これを言っておけば通ぶれる感想としておなじみ。

「や」「ら」「わ」は**接近音**や**はじき音**というカテゴリー
で、「あかさたなはま」とはカテゴリーが違う。
したがって、「ま」までと、「や」「ら」「わ」の世界は
2分されている。この2つの世界において、それぞれ
の調音点が徐々に前に移動しているんです。

すごい！　あんまり納得感がない！
45点の説明だ！

母音はどうなっている？

水野 ということで、欄外の説明で解決したと思うので、先に進みましょう。

堀元 納得感は微妙でしたね。**45点**でしたよ。

水野 複雑な世の中で、すべてに納得できるワケがないんですよ。**多少納得できないことがあっても、飲み込んで生きていくのが、人生なのです。**

堀元 名言っぽいレトリックで押し切ろうとしてる。

水野 すべてが必ずしもキレイにまとまるワケじゃありません。だから、ムリヤリ飲み込むこともある。1冊の中に1度くらい、そういうものもあっていいと思いませんか？

堀元 うーん、なるほど。分かりました。そういうことにしておきましょう。

　まあ、「や」「ら」「わ」を除けば問題なかったので、納得したし面白かったです。

水野 ありがとうございます。

堀元 ちなみに、母音についてはどうなんですか？

水野 母音もねえ……まあ、やっておきましょうかねぇ……。

堀元 やる前から自信失ってるやないか。

水野 うーん、さっきので45点って言われちゃうと、ちょっとなぁ……。

堀元 ごめんて。まあやってみようぜ。

水野　まず、母音を発するとき、舌には高低の特徴があります。

堀元　舌の位置が高いか低いかってこと？

水野　そうです。「あ」と「い」だと、舌が高いのはどっちですか？

堀元　あーあーあー……いーいーいー……。

水野　どうでしょ？

堀元　よく分かんないね。

水野　ですよね。ここでつまずくリスクが高いから、やりたくなかったんですよ。

堀元　そもそも、「あ」と「い」では口の開き方が違うからよく分からなくない？

水野　そうなんですよ。

　　　ちょっと口の開き方を変えないで、「あ」と「い」を声に出してみてもらっていいですか？

堀元　あ、あ、あ、い、い、い。

水野　どうですか？

堀元　あっ！　分かりました。「い」の方が舌の高さが高いですね。

水野　よかった！　第一関門をクリアした！

堀元　おっ、やったぜ！　このまま納得できるかな？

水野　「あいうえお」は、舌の高さが「**低→高→中**」という順番で並んでるんですよ。

堀元　ん……？　うん……？

水野　つまり、母音も規則的に並んでますよね。

以上！　ありがとうございました！

堀元　待て待て待て。それで誤魔化されると思ったか。

水野　あっ、ダメだ。次の関所は越えられなかった。

堀元　「**低→高→中**」って何？？？　全然規則的じゃないじゃ
　　　ん。「**低→中→高**」であるべきでしょ？

水野　その通りすぎてしんどい……。

堀元　え、じゃあ「五十音表は規則的である」っていう最初の
　　　仮説をひっくり返していい……？

水野　いや、待ってください！　それは待ってください！　違
　　　うんですよ！　これにはちゃんと意味があるんですよ！

母音をリストラするとしたら？

堀元　どういうことですか？

水野　堀元さん、**特に重要な母音**って何か分かりますか？

堀元　特にも何も、ないでしょ。母音は全部重要でしょう。

水野　と思いきや、意外とそうでもないんです。

　　　アラビア語など言語によっては、**母音を3つしか持たない場合もある**んです。

堀元　へえ〜！　じゃあ2つリストラできるんだね。

水野　そうです。母音をどうしても削減しなきゃいけなくなったら、2つリストラできます。

堀元　どれをリストラできるんだろう？

水野　ちょっと考えてもらっていいですか？

堀元　うーん……「あ」と「う」かな。

水野　なぜですか？

堀元　なんかさ、「あ」と「う」だけ、1文字の単語がなくない？

　　　「い」は胃があるし、「え」は絵とか柄とかがあるし、「お」は尾があるじゃん。

水野　ああ、面白い仮説ですね。

堀元　1文字の単語が割り当てられてないってことは、**雑魚母音**ってことじゃない？

水野　まあでも昔は一人称に「吾」が使われてましたからね。

　　　一人称に抜擢されるってことは、**スター母音**です

よね。

堀元　水野さん……。

水野　はい。

堀元　スター母音ってなんですか？

水野　**お前が始めたんだよ。**

堀元　たしかに「あ」は、スター性がありますね。

水野　でしょう。

堀元　ってことは、「う」は雑魚ですね。あ、待てよ。「鵜」も
　　　あるのか……まあでも「鵜」なんて目にすることないか
　　　らどっちにしろ雑魚だよな……。

水野　え～、堀元さんの推論はちょっと面白いんですが、正
　　　解にはまったく結びつかないので答えを言いますね。

堀元　おっと、「う」じゃないんですか!?

水野　正解は、「え」と「お」です。

堀元　予想は大外れだったな。

　　　なぜ、その2つなんですか？

水野　この2つは、**比較的聞き取りにくいから**です。

堀元　そんなことないでしょ。思ったことないよ。
　　　「"え"と"お"は聞き取りにくいなぁ」なんて。

水野　もちろん、日常生活のレベルで聞き取りにくいことはな
　　　いでしょうけど、どちらかというと聞き取りにくいはず
　　　ですよ。

堀元　どういう理屈で聞き取りにくいんですか？

水野　さっきも言いましたが、「え」と「お」は舌の高さが
　　　「中」です。

つまり、これが入ると聞き取りにくくなるんです。

堀元　あ、なるほど。端と端よりも、端と中間の方が区別しづらいですもんね。

水野　はい。堀元さんの察しがよすぎて置いていかれた人もいると思うので、ちょっと解説しますね。

音というのは連続的なので、「あ」や「え」といった音はグラデーションにすぎません。

堀元　「あ」と「え」の間の音とかも出せますからね。

水野　そうですね。そう考えると、「あ」と「え」の間の音、英語でも習いますよね。

apple の最初の音は、「あ」と「え」の間です。発音記号でいうと [æ]。

堀元　はいはい。

水野　さて、そこで質問です。

「あ」と [æ] の聞き分けって、「あ」と「え」の聞き分けに比べて難しいですか？　簡単ですか？

堀元　そりゃ難しいですよね。中間ってことは違いが少ないんだから、当然難しくなります。

水野　ということですね。中間の音を区別するのは難しいので、なるべく導入したくない。両極端の音を使いたいワケです。

堀元　完全に理解しました。

水野　話を戻しましょう。堀元さん、「あ」と「う」の間の音を出せますか？

堀元　えーっと……「うぁっ」。

水野　なんか気持ち悪っ。

堀元　出せないですね。吐き気を催したときの音になっちゃった。

水野　堀元さんは日本語に慣れすぎていてピンと来てないようですが、答えは「お」です。

堀元　えっ、そうなの!?

水野　そうですよ。舌の位置が高いのが「う」で、低いのが「あ」です。

で、中間が「お」です。

堀元　衝撃の事実だ。

水野　なんとなく「あ」と「う」の間に舌を置いてみると、「お」っぽくなると思います。やってみてください。

堀元　あ、あ、あ、う、う、う、お、お、お。

たしかにそうかも。全然知らなかった。

水野　ということで、「お」は、「あ」や「う」に比べて聞き分けにくい音なんですよ。だから優先度が低い。

堀元　なるほど。ちなみに「い」と「え」が登場してないんですけど。

水野　説明しましょう。

実は、母音には舌の高さ以外にも、もう1つパラメータがあります。**舌の位置**です。大きく、**前舌母音**と**後舌母音**、そして**中舌母音**の3つに分けられます。

堀元　ほう。

水野　で、これらの関係をまとめた図がこちら（128ページ）。

水野　「い」と「え」は舌の位置が前で、「う」と「お」は舌の

位置が後ろなんですよね。

堀元 なるほど。納得しました。

水野 ここで再び舌の高さに注目しましょう。

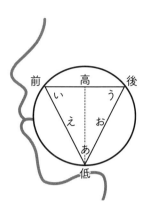

右の図から分かるんですが、「あ」「い」「う」は舌の高さが「高」か「低」なのに対して、「え」「お」は舌の高さが「中」なんですよ。

つまり他の母音と区別するのが難しいワケで、だからこの2つは、優先度が低いんです。

実際に、アラビア語の母音は「あ」「い」「う」の3つです。

堀元 母音が3つしかない言語では、「え」と「お」が使われないってことですね。

水野 そうです。リストラ候補です。

堀元 悲しい母音だ。

まとめ－母音の順番

水野 話がとっちらかったのですが、「あいうえお」は母音の
並び順にも意味があるという話をしていました。

堀元 そうでしたね。

水野 これで納得していただけたんじゃないですか?

堀元 えーっと、水野さんの主張はまず、**母音は舌の位置が
「低→高→中」の順番で並んでる**というものでしたね。

水野 そうです。この順番の不可解さについては、もう納得し
たでしょ?

堀元 つまり、「中」の母音は、リストラ候補であり比較的雑
魚であるから、「あいうえお」順の後ろに回されたとい
うことですね。

水野 そうそう。

堀元 うーん……まあ、それは納得したことにしましょう。納
得度**41点**ですけど。

水野 ありがとうございます。そこさえ納得してもらえれば、
あとは簡単です。
舌の高さが同じ母音に関しては、前舌母音の方が先に
来ます。
だから「い」→「う」、「え」→「お」という順番になっ
てるワケですね。

堀元 うん。それはいいですね。納得度**85点**です。

水野 いちいち点数を言うのやめてください。

* * *

水野 ということで、今回は五十音表について語ってきました。テキトウに並んでると思いきや、実は明確な規則があったという話でした！

堀元 うん……まあ、はい……。

水野 微妙な顔してますね。

堀元 前半はめちゃくちゃ感動したんですが、後半がちょっと微妙だったので、微妙な顔になりました。

水野 すべてに納得できるワケがないんですよ。**多少納得できないことがあっても、飲み込んで生きていくのが、人生なのです。**

堀元 それで押し切ろうとするのやめろや。

水野 冗談はさておき、たしかに完全にキレイな規則ではないかもしれませんが、それでも五十音表に法則性があるのって面白くないですか？

堀元 そうですね。そこは完全にそうです。できれば納得スコア100点を出してほしかったですが、驚きはかなりあります。

水野 ですよね。五十音表なんて当たり前に受け入れてたものにすら、実はこんな驚きの背景があるんですよ。これが**言語の楽しさ**ですね。

堀元 そして、アレに似てますよね。コンビニで売ってるカップかき氷の容器。

水野 何言ってるの？

堀元 あの容器、なんでギザギザしてるか知ってます？
普通に丸くしたらよくないですか？

水野 いや、知らんけど。単なるデザインでしょ？

堀元 違うんですよ。明確な理由があります。
丸い方がおそらくコストが安いのに、わざわざギザギザ
にする理由が。

水野 表面積を大きくして溶けやすくしてる？

堀元 いや、溶けない方がありがたくな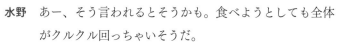
い？

水野 たしかに。全然分からないですね。

堀元 正解は、**丸いとかき氷がクルクル
回って食べづらいから**です。

水野 あー、そう言われるとそうかも。食べようとしても全体
がクルクル回っちゃいそうだ。

堀元 そうなんですよ。「テキトウにデザインされたと思って
いた容器にそんな理由があったんだ！」という驚きがあ
ります。

水野 たしかに一緒だな。

堀元 つまり、**五十音表はかき氷の容器**というこ
とで。

水野 それは言い過ぎだと思いますけど。

堀元 あと、五十音表で舌の位置が徐々に変わるように、か
き氷を食べると舌が徐々に変色しますからね。

水野 全然上手くない。

堀元 おっ、ヘンなオチに頭が痛くなってますか？　かき氷だ

けに。

水野　堀元さんがうるさくてイライラするので、もう終わりに
　　　しましょう。ありがとうございました！

堀元　まあ頭を冷やせって。かき氷でも食べてさ。

第 **5** 章

★ ★ ★ ★ ★

「パンパン」沼

なぜか意味が分かる「パーパカパー」

水野 　堀元さん、なんだか**ボニュボニュ**してますね。

堀元 　**全然意味が分からないけど、なんかバカにされてそう**だ。

水野 　おっ、いいですね。

　　　意味が分からないけどバカにされてる感じがしますか？

堀元 　します。顔がむくんでるのかなとか、お喋りがヘタなの

　　　かなとか、そんな感じがしました。

水野 　素晴らしい。それが、**オノマトペ**の効用です。

堀元 　オノマトペっていうとアレですかね。擬音語とか擬態語

　　　みたいなヤツ？

水野 　そうです。「糸をピンと張った」の「ピン」ですね。

堀元 　で、それが何ですか？

水野 　オノマトペってすごいんですよ。

　　　聞いただけでなんとなくイメージが湧く

　　　んです。

堀元 　あー、まあそうかも。「ピン」はなんか張り詰めてそう

　　　だもんね。

水野 　でしょ？

　　　堀元さんは「ボニュボニュしてますね」という言葉を初

めて聞いたけど、なんとなく意味が分かりましたよね。

堀元　そうだね。バカにされてる気がしたわ。

水野　つまり、堀元さんは**オノマトペの響きだけで
バカにされている気がしたよ**ってことです
よね。

堀元　**スピッツ**みたいに言うな。

水野　名曲『チェリー』みたいに言っちゃいましたが、とにか
く音の響きだけでイメージができたってことですよね。

堀元　うん。知識じゃなくて、音の響きだけで……。

　　　あっ、そういえば前にもそんな話しましたね。**音象
徴?**

水野　そうです。第2章でも出てきましたね。**音が何かしらの
意味を表してる**ってヤツです。

堀元　なるほど。オノマトペって音象徴と似てるんだ。音とイ
メージが結びついてるというか。

水野　そうです。まずは例文を見てみましょうか。

> 風船 が パンパン に 膨らんでる

> 糸 を ピン と 張った

> 娘はへそを曲げて、口をプクッと膨らませた

これらの共通点は何でしょう?

堀元　**パ行のオノマトペ**が入ってるんじゃないですか。

水野　そうです。それ以外は何か思いつきます?

堀元　うーん、ベタなストーリーの始まりを感じさせますね。

少女がパンパンの風船を持ってはしゃいでたら強風が吹き、ピンと糸が張って風船が飛ばされてしまう。木に引っかかった風船を見ながら少女は途方に暮れ、口をプクッと膨らませる。そこを通りかかった主人公が一言「オレが取ってやるよ」。その様子を偶然見ていたヒロインが……。

水野　**その話はもう大丈夫なので、答えを言いますね。**

堀元　そうしてください。僕もしんどくなってたのでありがたいです。

水野　結論から言っちゃうと、**pの意味は「張力がある」**なんです。

堀元　張力……？

「糸をピンと張った」はたしかにそうだけど、他の2つはそうでもなくない？

水野　風船にせよ、少女の口にせよ、表面が張ってますよね。

堀元　ああ、そうですね。たしかに引っ張られてるような感じだ。

水野　張力のある状態を表すオノマトペなので、pが入ってるワケですね。

堀元　なるほど。

そういえばカービィもペポペポ言ってますし、風船みたいに膨らみますよね。

あれは張力を表していたの

ペポペポ

か！

水野 いや違うでしょ。ペポペポは鳴き声（？）であってオノマトペじゃないんだから。

　　……まあでも、着想としては一緒かもしれませんね。風船のようなキャラクターには p 音が似合うと言えるかも。

堀元 音象徴のときも思ったけど、こういうの面白いですね。身近な名付けとか音について**深読み**できるようになる。

水野 まだまだ始まったばかりですよ。次いきましょう。

　　風船が破裂したときの音は何ですか？

堀元 **パン！** でしょうね。

水野 はい。これも p が入ってますね。これは張力からの連想です。つまり、p は「膨張した表面の破裂」も表すようになったんです。

堀元 なるほど。それはまあ分かりますね。

水野 こんな風に、連想ゲームで新しい意味が説明できるんですよね。

　　他にも面白い事例があります。この例文を見てください。

> あ の 芸 人 は パッ と テ レ ビ か ら 消 え た

堀元 あー、言いますね。

水野 先ほどの理屈から考えると、この「パッ」の意味は何だと思います？

堀元 **膨張した芸人が破裂した**ってことですか？

水野 **応用力がなさすぎる。** どういう状況だよ。

堀元　まあでも**一発屋芸人の自意識は一気に膨張したあとに破裂する**と思うので、あながち間違ってないんじゃないですか？

水野　そんな敵を作りそうなことばかり言ってると、堀元さんが**パッ**と消えることになりますよ。

堀元　上手いこと言いますね。一本取られたわ。

水野　話を進めましょう。

　　　「パッと消えた」の「パッ」とは、「突然の事態」を表します。

堀元　ふーん、なんで？

水野　これは先ほどの「膨張した表面の破裂」から説明ができます。膨張した表面の破裂が比喩的に拡張されて、p音は「突然の事態」も表すようになりました。

堀元　なるほど。風船がパンと破裂するのは突然だから、pが「突然の事態」のイメージになったと。

水野　そうですね。

堀元　でもその理屈で言ったら、ガシャーンと皿が割れるのも突然なので、gも「突然の事態」になるべきじゃないですか？

水野　またそういうことを言う……。一般的な傾向の話をしてるので、細かい反例を探し出してきてゴチャゴチャ言わないでください。

堀元　僕は絶対おもねらないですからね。ピンと来ないものにはピンと来ないって言いますよ！

水野　「ピンと来る」の「ピン」が、まさに突然の事態ですね。

堀元　えっ、あっ、そうなの!?

水野　ピンと来るのって、常に突然ですよね？

堀元　ホントだ！　すげえ!!

水野　ということで、**オノマトペの意味ってのは、ある程度音から導き出せる**んですね。もちろん限界はありますけど。

堀元　勢いで丸め込まれた気がするけど、流れが鮮やかだったので認めましょう。すごい！

＊スピッツ
　1987年に結成されたバンド。
　代表曲に、『ロビンソン』や『チェリー』、『空も飛べるはず』などがある。

クスクスとスクスク、意味が違うのはなぜ？

水野　ここまでの話は、**オノマトペって色んな意味のものがある
けど、実は構成してる音から、ある程度意味が復元でき
るよね**ってことでした。

堀元　うんうん、だいぶ納得できましたよ。ピンと来ました。

水野　でもね、よーく考えるとこれ、おかしいんです。

堀元　ん、どこが？

水野　だって、**この理屈なら、構成している音が
一緒であれば、順番を入れ替えても意
味は同じ**になりません？

堀元　うん、まあそうなるね。

水野　ホントにそうですか？　例を考えてみましょう。
"スクスク"と"クスクス"はどうですか？

堀元　あ、**全然違う**わ。

水野　ですよね。"スクスク"はどんなときに使います？

堀元　そりゃもう、「子どもがスクスク育った」みたいな感じ
ですよ。

水野　では、"クスクス"は？

堀元　「あいつが転んだのを見て、僕はクスクス笑った」みた
いな感じですよね。

水野　そうですよね。意味が全然違いますよね。

堀元　たしかに。スクスクは「育つ」の印象だし、クスクスは
「笑う」の印象だ。

水野 　このように、構成音がまったく同じなのに、順番が異な
　　　るだけで意味が変わるケースがあります。他にもこんな
　　　例文があります。

> 傘をバサバサして雨粒を落とす

> 彼女はサバサバしてる

堀元 　たしかに、全然意味が違いますね。

水野 　このように、順番によって意味が変わっちゃうんですよ。

堀元 　なんだ、じゃあ今までの話はウソじゃないですか。正直、
　　　思ってたんですよ。「突然の事態」とか、**アドホックな仮
　　　説**だなって。これでは科学の条件を満たしてませんよ。
　　　科学っていうのは反証可能性が重要であって……。

水野 　堀元さん、堀元さん、聞いてください。これらもすべて、
　　　音象徴で説明できます。

堀元 　いやいやいや。ムリだって。もう分かったもん。

水野 　音象徴で説明できます。完全に。
　　　「スクスク」とか「バサバサ」とか、こういう二音節語

を繰り返すオノマトペには、音の並びによる法則性があるんです。

堀元　というと？

水野　**最初の子音と2番目の子音で、意味の担当が違うんです。**
最初の子音は触感、2番目の子音は運動の特徴を表すんです。

堀元　ぜんっぜん分からない。何か例をください。

水野　はいはい。では、k音のオノマトペで見ていきましょう。最初の子音がkの場合は、**硬質さ**を表します。
「食器が**カチャカチャ**鳴った」とか、「軟骨は**コリコリ**していておいしい」とか。

堀元　うん、分かりますね。たしかに**カチャカチャ**も**コリコリ**も硬いイメージだ。

水野　一方、2番目の子音がkの場合は、**空洞**みたいなコアイメージがあります。
「**サクサク**したクッキー」とか。

堀元　ああ、そうかも！「空き缶が**ペコペコ**してる」とかも、空洞ありきな表現ですね。

水野　つまり、オノマトペの意味は、音という要素に加えて、その音の並び、これらが複雑に絡み合って出来上がってるんです。

堀元　すごい、考えたこともなかった。

　1つ目の子音で触感、2つ目の子音で運動を表してる……そんなシステムだったんだ。

水野　すごいでしょ？

　我々は無意識のうちに、こんな複雑なシステムを身につけてるんですね。ここにも**フェルマーの最終定理**が転がってました。

堀元　面白いなぁ……。

　……。

　でもさ、「**トコトコ**歩く」は空洞じゃないよね。

水野　うっ。

堀元　これについては、どう説明するんですか？

水野　まあホラ、「トコトコ歩く」は、なんとなく足が小さいイメージじゃないですか？　多分、靴のサイズがやや大きくて靴が空洞なんですよ。

堀元　あと、「**シクシク**泣く」も別に空洞じゃないよね？

水野　そうですけど、まあ、眼窩（がんか）は空洞なので許されてもいいんじゃないですかね。

堀元　あと、「**コソコソ**話をする」は硬質じゃないよね？

水野　いいんですよ‼　一般的な傾向の話だから！

* * *

水野　ところで堀元さん、「窓がパーパカパーになってる」って言います？

堀元　言わないですね。

水野　これ、名古屋の方言なんですけど、なんとなく意味は推

測できませんか？

堀元 　多分、**開けっ放しになってる**みたいな意味じゃない？

水野 　ご明察！　その通りです。

堀元 　やったぜ!!

水野 　堀元さんは「パーパカパー」という響きから、窓が開いてるイメージを想起しましたね？

堀元 　しました。思いっきり。

水野 　ですよね。でも、これって、本来ヘンな話です。

堀元 　ああ、そんな話、音象徴のときも出てきましたね。

水野 　そうです。言語学者のソシュールは恣意性と呼んでますが、要するに「**意味と音には結びつきがない**」と言ってます。

堀元 　ってことはつまり、「音を聞いても意味は連想できない」ってことだよね？

水野 　そうです。だって法則なく結びついてることになりますから。

堀元 　でも僕たちは、音からイメージを得てる。

水野 　そして、それは未知のオノマトペを聞いたときに顕著ですよね。今まで散々見てきたように、「こんな意味だろうなぁ」と分かるワケで。

堀元 　音象徴のときにも言いましたけど、ソシュールは間違ってたワケですね。つまり、**ソシュールの頭はパーパカパーだった**ということか。

水野 　なんちゅうこと言うんだ。めちゃくちゃ偉大な学者ですよ。**あんたの頭の方がよっぽどパーパカパーだよ。**

堀元　このままだと僕らの関係も**パーパカパー**になりそうなの
で、先に進みましょう。

水野　テキトウに使いまくるのやめてもらっていいですか。

＊アドホックな仮説
　辻褄が合わない現象を説明するために、あとから付け加えた仮説。その場しの
　ぎの言い訳を繰り返す人への悪口として使ってもいいかもしれない。

なぜかオノマトペを理解できる子どもたち

水野　驚くべきはここからです。

　　　実はオノマトペの意味推測は、言葉をおぼえたての子どもでもできるんです。

堀元　えっ!?　すげえ！　日本語を熟知してるからこそ推測できるワケじゃないんですか？

水野　そうなんですよ。オノマトペの音とイメージを結びつける力を、人間は生得的に持ってるんでしょうね。

堀元　にわかには信じがたい話ですけど……。

水野　それを確かめた実験があります。

　　　発達心理学者の**今井むつみ**氏が率いるチームは、既存のオノマトペをもとに、母音を変換した新規のオノマトペを作りました。

　　　例えば、**バタバタ→バトバト、ノソノソ→ノスノス**といったかたちです。

堀元　存在しないオノマトペですね。聞いたことないわ。

水野　でもね、**実験に参加した2歳半と3歳半の子どものほとんどが、このオノマトペの意味が分かったんです。**

堀元　意味が分かるってどういうこと？

　　　存在しないオノマトペでしょ？

水野　そうです。でも、バタバタしてる映像と、そうでない映像を見せて、「**バトバトしてるのはどっち?**」と聞いたら、多くの子どもが正しく選べたんです。

バタバタしている映像　　　　ゆっくり歩いてる映像

堀元　なるほど。バトバトという音のイメージから、バタバタ
　　　した動きが導かれるってことですね。すごい。

水野　不思議でしょう？

　　　それどころか、もっと驚くべきことも分かりました。

　　　大雑把に言えば、**オノマトペを使うことで言
　　　語の習得が早まるんです。**

堀元　めちゃくちゃデカいこと言い出したじゃん。怪しい英語
　　　教材みたいだ。

水野　**オノマトペを使えば、子どもは単語を理解しやすくなるん**
　　　ですよ。

堀元　うーん、まあ、あり得るかな。「回る」より「クルクル
　　　する」の方が直観的に理解しやすいってこと？

水野　そうです。飲み込みがいいですね。

　　　特にポイントになるのが**動詞の一般化**です。

堀元　動詞の一般化？

水野　堀元さん、子どもの気持ちになってみましょう。

　　　動詞と名詞のうち、習得するのが難しいのはどっちです
　　　か？

堀元　えっと、動詞かな？

水野　素晴らしい。正解です。

　　　なぜですか？

堀元　え、まあ、なんとなく……。

　　　名詞はモノを見たらおぼえやすいかなと。

水野　そうです。素晴らしい。動詞は名詞に比べて習得がめちゃくちゃ難しいんです。

　　　その理由は、**モノに対応してない**から。

堀元　あ、なんか言わんとすることは分かるな。

　　　リンゴを見て「リンゴ」と教えられればすぐ分かるけど、「投げる」は**一瞬で終わっちゃうからおぼえにくい**ってこと？

水野　それもあります。でも、それだけじゃないですよ。

　　　「投げる」という概念を習得するには、**高度な一般化**が必要なんです。

堀元　どういうこと？

水野　たとえば、お母さんが紙くずをゴミ箱に投げて**「これが"投げる"だよ」**と教えたとします。

堀元　うん。

148

水野 　その後、お父さんが草野球をして、全力でボールを投げたとします。

堀元 　うん。

水野 ## この2つを両方「投げる」だと解釈するの、めっちゃ難しくないですか？

堀元 　たしかに。全然違う状況だもんね。

水野 　動詞って、変数が多いんですよね。

　　　動作主（お母さん or お父さん）も変わるし、動作の対象（紙くず or ボール）も変わります。

　　　しかも動きの速さとか詳細とかも変わるし、一般化するのってめちゃくちゃ難しいですよ。

堀元 　言われてみるとそうだ。

　　　動詞は高度な一般化をしないと理解できないのか。当たり前だと思ってたけど、意外に上級者向けだ。

水野 　実際、3歳の子どもは動詞の一般化に失敗して、知らない動詞をすごく狭い意味に勘違いするんです。

　　　イメージとしては、サッカーをしてるときに「蹴る」という言葉を学習すると、サッカーボールをキックする場

合にしか「蹴る」は使えないと思い込むみたいなことが頻繁に起きます。

堀元　「蹴る」はサッカーボール専用の動詞だと思っちゃう、ってことか。まあ、一般化ってめちゃくちゃ難しいですもんね。大人でも失敗してる例をよく見ます。

水野　一般化失敗の例、なんか最近ありました？

堀元　僕の知り合いの慶應義塾大学 OB が、学習塾を経営しているんですよ。

水野　はい。

堀元　で、OB のコネを使って、主に慶應の学生をアルバイトで採用していました。

水野　まあ、普通の行動ですね。

堀元　でも、数人だけ一般募集で雇った他の大学の学生もいたんですよ。

水野　うん。

堀元　その数人の中の 1 人が、**置いてあったお金を盗んで逃走したらしくて**……。

水野　とんでもないヤツがいたもんですね。

堀元　その結果、経営者はどうしたと思います？

水野　え、そりゃまあ「お金の管理を徹底して盗まれないようにした」とかじゃないですか？

堀元　と思うじゃないですか。

　　　答えは**慶應の学生しか雇わないことにした**です。他の大学の人間は信用できないからって……。

水野　**一般化に失敗してますね。**

堀元　そうなんですよ。「人はお金を盗むことがある」って考えるべきところを、「慶應以外の大学の学生はお金を盗む」って考えてしまってて、ビックリしちゃった。

水野　人間の愚かしさと一般化の苦手さが分かる好例ですね。

堀元　この経営者が間違って「慶應以外の大学の学生は金を盗むんだな」と考えたのと同じように、子どもも間違えて考えちゃうってことですよね。

> **今井むつみ**
> 慶應義塾大学環境情報学部教授。専門は認知科学（主に言語心理学、発達心理学など）。著書に『算数文章題が解けない子どもたち ことば・思考の力と学力不振』『ことばと思考』などがある。「ゆる言語学ラジオ」にも複数回出演している。

言語習得の手がかりはオノマトペ？

水野 動詞は習得に一般化を要求してる。そこが難しいところ
です。ご理解いただけましたか？

堀元 十分に理解しました。

水野 でもね、**動詞が理解できない子どもでも、
オノマトペを用いた動詞なら使いこな
せる**ことが、ある実験から分かってます。

堀元 !?

水野 ここで先ほどの**バトバト**に再び登場してもらいます。
146 ページで紹介したバタバタしてる映像を子どもに見
せます。
で、子どもに「**見て。バトバトしてるね**」と伝えます。

堀元 なるほど。存在しない動詞を教え込むんですね。

水野 はい。そのあと、着ぐるみのウサギがバタバタしてる映
像と、さっきと同じ着ぐるみのクマがゆっくり歩いてる
映像を見せ、「**バトバトしてるのはどっち?**」と尋ねます。

クマがバタバタしてる映像

「バトバト」を教える

ウサギがバタバタしてる映像　クマがゆっくり歩いてる映像

「バトバトしてるのはどっち?」

堀元　なるほど。つまり**動作が同じ or 動作主が同じ**の2択を
　　　選ばせるってことだ。

水野　そういうことです。正解はもちろん**動作が同じ**方です。
　　　つまり、ウサギを選ぶのが正しい。

堀元　でも、さっきの話だとこれは難しいですよね。
　　　「動詞は動作の内容を指し、動作主は関係ない」と正し
　　　く一般化できてないと、正解は選べなそう。

水野　そうです。
　　　ところが、実験の結果は驚くべきものでした。
　　　**動詞をまだ使いこなせない子どもでも、なぜか正解を選
　　　べたんです。**

堀元　えっ、すごい！
　　　その子どもは、**他の動詞は一般化できないのに"バトバ
　　　トする"だけは一般化できた**ってことですよね？

水野　そうです。
　　　オノマトペに由来しない架空の動詞「ネケってる」では、
　　　正答率が下がりました。
　　　3歳の子どもにいたっては、「ネケってる」の正答率は
　　　53％、つまりほぼランダムだったのに対し、「バトバト
　　　している」では84％に達したんです。

堀元　すげ〜‼ **オノマトペが子どもの本能に訴
　　　えかけてる**から、ちゃんと動詞として学習させられ
　　　るんですね！

水野　しかも、まだまだ衝撃的な事実は続きます。
　　　追試をしてみると、どうやらただオノマトペを使えばい

いというわけではなかったんです。

今回、**オノマトペの意味とハマってない新規動詞を教え
込んだときは、3歳の子どもの成績は57％まで低下した**ん
です。

堀元　あー、でもそれはなんか分かるな。"怒る"のことを
"キャフキャフする"と教えると、全然ピンと来ない、
みたいなことですよね。

水野　そうですね。子どもはちゃんと**オノマトペから想起され
る動作イメージ**を持ってて、それと照らし合わせて学ん
でるんだと思います。

堀元　すごいな。動詞も使いこなせないのに、すでにオノマト
ペのイメージはちゃんと持ってるんですよね。

水野　そうです。さっきの「サバサバ」と「バサバサ」の違い
もそうですけど、大人も言語化できてないようなルール
を3歳児はすでに理解しています。

堀元　子どもは、**オノマトペは得意だが普通の
動詞は苦手**ってことかな。

水野　はい。そういうことになりますね。
思い当たる節がある人もいるかもしれませんが、子ども
と接するとき日本語話者はオノマトペの使用量が明らか
に増えます。

堀元　「あ、**ブーブー**来たよ」とか、「ちゃんと歯を**ゴシゴシ**し
て」とかね。

水野　そうですね。これは、**子どもがオノマトペなら理解できる**
ことを経験的に理解してるからでしょう。

堀元　実は僕、オノマトペをやたらと使う人のこと、ちょっと
　　　バカにしてたんですよ。
　　　「昨日、あそこの通りを**ガーッ**行ったら、暴走族が**ワー**い
　　　て」みたいな話し方する人いるじゃないですか。

水野　いますね。芸人さんみたいな話し方をする人。

堀元　僕は<u>ニセ千原ジュニア</u>って呼んでるんですけど。

水野　実名を出すな。

堀元　ニセ千原ジュニアの人、ボキャ貧かよと思って冷ややか
　　　な目で見てたんですが、見方が変わりました。人間が
　　　生得的に理解しやすい話し方をしてたんですね。

水野　そうですよ。より根源的な話し方を模索した結果たどり
　　　着くのがオノマトペです。

堀元　つまり、**千原ジュニアさんは、老若男女に受け入れられ
　　　る芸人になるべく、子どもにも伝わるような最も根源的な
　　　話術を模索したってコト……？**

水野　**それは深読みだと思いますけど。**

堀元　ちょっとテンション上がって、推論が**バァーッ**と行って
　　　しまいました。話を**ドカッ**と戻して、**グワーッ**進めて行き
　　　ましょう。

水野　……話を戻しますね。
　　　さっきの実験から分かったのは、**動詞を習得していない
　　　時期でも、子どもはオノマトペ動詞なら使いこなせる**とい
　　　うことでした。

堀元　そうでしたね。「動き回る」が使えなくても、「バトバト
　　　する」は使えると。

水野　ここから、こんな仮説が立ちます。

子どもは、**オノマトペを手がかりに言葉をおぼえてるのでは？**

堀元　あー、面白い仮説だ。**音象徴的に使いやすいオノマトペを使ってるうちに、他の言葉も使えるようになってくって**ことですよね。

水野　そうです。「グルグルする」をまず使いこなして、そのあとに「回す」という単語を憶える。

堀元　たしかにそっちの方が習得が簡単そうだ。いきなり難しいものを扱うんじゃなくて、まずは簡単に理解できるものを理解するってことですね。

水野　はい。子どもはオノマトペを入り口にして、大人が使う複雑な言葉のルールをマスターしてるのかもしれない。

堀元　なるほど。僕にも似た経験がありますね。

水野　ほう。どんな経験？

堀元　僕、20歳になったときに初めてビールを飲んだんですよ。

水野　はいはい。

堀元　そしたら、苦くて中ジョッキの半分も飲めなくて……。

水野　そりゃそうでしょうね。初めて飲んだらね。

堀元　「ビールなんて飲めたもんじゃない」と思ったんです。でも、シャンディガフは飲めたんです。

水野　ビールにジンジャーエールを混ぜたカクテルですね。

堀元　で、シャンディガフに慣れたら、徐々にビールもイケるようになったんです。それに近いですよね。

水野　そうですね。**扱いやすいマイルドなもので身を慣らす**っ

156

てことですね。オノマトペはシャンディガフに似ている
のかもしれない。

堀元　じゃあ、今後子どもがオノマトペを使ってるのを見たら、

「お、シャンディガフ飲んでるね」 と言う

といいかもしれないですね。

水野　……。

オノマトペが言語習得において重要な役割を果たしてる。
こうした主張は何も荒唐無稽な珍説というわけでもなく、
研究者からも提唱されてます。

先に紹介した発達心理学者の今井むつみ氏や、認知言
語学者の<u>秋田喜美</u>氏はオノマトペ言語習得論を唱えて
ます。

堀元　シャンディガフからビールに入ることもあるし、オノマト
ペから言語が生まれることもある。そういうことですね！

千原ジュニア
（1974年3月30日〜）
お笑い芸人。
お笑いコンビ「千原兄弟」のボケを担当し
ている。オノマトペの理論について、特に
詳しいわけではないと思われる。

秋田喜美
（1982年〜）
名古屋大学大学院人文学研究科 人文学専
攻 英語文化学繋 准教授。
著書や共著に『オノマトペの認知科学』『言
語類型論』などがある。

オノマトペで悩む日本語学習者

水野 ここまで、子どもがオノマトペを元に、言語を理解してるという話をしました。

言語のメカニズムを理解するよりも前に、オノマトペを理解してるということが分かってもらえたと思います。

堀元 そうですね。言語に比べて、オノマトペを理解するのは簡単なんだなということが分かりました！

水野 でもね、逆に、**日本語は理解できても、オノマトペの理解に手こずる人**がいます。

堀元 まーたそのパターンだ！　せっかく1つ納得したのに、すぐハシゴ外すの何なん？？？

水野 世の中は複雑ですからね。反例はすぐ見つかりますよ。
オノマトペの理解に手こずる人、誰だと思います？

堀元 耳が聞こえない人とかですかね？

水野 あー、面白い。ありそうな答えですが、違います。
正解は、**日本語学習者**です。彼らはオノマトペの使い方に本当に苦労するようです。
たとえば、こんな文を作ってしまう。

> 桜が*バラバラ*と散る

堀元 すごい！　風情がまったくない!!

水野 でしょ？　日本語母語話者は、多分こんな文は作りま

せんよね？

堀元　作らないですね。

水野　では日本語母語話者のサンプルこと堀元さん、模範的な例文を作ってください。

堀元　簡単ですね。これです。

> 桜 が ヒ ラ ヒ ラ と 散 る

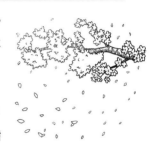

水野　ですよね。おそらく、ほとんどの日本人が**ヒラヒラ**あるいは**ハラハラ**を使うと思います。

堀元　でしょうね。

水野　でも、なんで**バラバラ**はダメなんですか？　散る様子を指すオノマトペなのに。

堀元　**なんかキモいから。**

水野　**その語彙力で、よくニセ千原ジュニアをバカにできましたね。**

堀元　まあマジメな話、**バラバラ**だと何かが壊れて落ちていってるような印象を受けますね。

　　　桜が散る美しい光景と合ってないみたいなことかな。

水野　ボンヤリしてるし感覚的ですね。

堀元　感覚でしか語りようがなくない？

水野　まあ、堀元さんが言わんとすることも分かります。だからこそ、この問題はめちゃくちゃ難しいんです。

日本語学習者は我々日本語母語話者と同じ感覚を持ってるワケではないので。

堀元　そうなんだ。英語では「ヒラヒラと散る」ってなんて言うの？

水野　おっと、聞いちゃいますかそれを。

「ヒラヒラと散る」に限らず、日本語ではオノマトペで表現する内容って、英訳するのが難しいんですよ。

堀元　英語にはオノマトペがないんですかね？

水野　ないとまでは言わないですが、比較的少ないですね。

「ヒラヒラと」みたいな副詞はあんまりないです。

堀元　**ヒラリー**みたいな副詞ないんですか？

水野　ないです。どちらかというと、それ**クリントン**です。

堀元　そうか。英語ってオノマトペが少ないんだ。

水野　もちろん、コホコホという音からできた cough（咳をする）、バブバブ言ってることからできた baby（赤ちゃん）など、擬音語由来の単語はわずかながらありますが……。

堀元　えっ、baby ってバブバブ言ってたからなんですか？

水野　そうです。

堀元　めちゃくちゃテキトウな命名じゃないですか。

水野　それでいいじゃないですか。日本語の「赤ん坊」も「体が赤いから」という理由ですからね。

堀元　あっ、そうなんだ。割とみんなテキトウだな。

水野　ちなみに乳児のことは英語で infant と言いますが、この語源は「話せない」です。

堀元　えっ、それもひどい！　そりゃ赤ちゃんは話せないで

しょうよ！

水野 英語はなんというか、聴覚から baby だの infant だのと名付けてますね。それに対して、日本語は視覚から「赤ん坊」なので、発想が違いますね。

堀元 水野さんって背が高くて低音ボイスだから、あだ名を日本語母語話者につけさせたら**ノッポ**で、英語母語話者につけさせたら**低音**になるかもですね。

水野 嫌ですね、低音っていうあだ名。

> **ヒラリー・クリントン**
> （1947年10月26日〜）
> アメリカ合衆国の政治家。
> 第42代ファーストレディ、
> 第67代アメリカ合衆国国務長官を歴任した。

英語はエアバス社、日本語はボーイング社

水野 ということで、ここまで英語にはオノマトペに相当する表現が少ないっぽいという話をしてきました。

堀元 そうですね。

水野 反対に、「ヒラヒラと散る」みたいな表現は、英語ではできないんでしょうか?

堀元 そんな気がしますね。だって「ヒラヒラと」みたいな表現が英語にないんだもん。

水野 と思うじゃないですか。でも、それは半分正しいのですが、半分誤りです。

堀元 えっ、でもオノマトペっぽい言葉は少ないんでしょ?

水野 それはその通りです。
ただ、だからといって英語では「ヒラヒラと」みたいな表現ができないとは限りません。

堀元 すぐそうやって禅問答みたいなの始めるよな。

水野 堀元さん、ここで英作文の問題です。
「昨日、浅草をブラブラ散歩した」ってなんて言いますか?

堀元 えっと……Yesterday I walked in Asakusa. っていうのが骨格になりそうだ。

水野 いいですね。あとは何が足りないですか?

堀元 「ブラブラ」ですね。「ブラブラと」に当たる副詞がない
から、「目的もなく」みたいに言い換えなきゃいけない
んじゃない？

水野 もちろん、そう表現することも不可能ではないと思いま
す。一方で、もっとシンプルな表現があります。

Yesterday I ambled in Asakusa.

つまり、amble（ブラブラ歩く）という動詞を使うんです。

堀元 あ〜、なるほど。副詞ではなく動詞を変えるんだ。
「ブラブラ歩く」っていう動詞があるんですね。知らな
かったけど。

水野 まあ、上級者向けの単語でしょうね。もう1問いきま
しょうか。

**「彼の赤ちゃんがよちよち歩い
た」**はどうですか？

堀元 His baby walked…….
これも同じだ。「よちよち」が
分からないですね。

水野 でも、どうすればいいかは分
かるんじゃない？

堀元 完全に分かりました。
walk じゃなくて「よちよち歩く」っていう動詞を使え
ばいいんでしょ？

水野 その通りです。

His baby toddled.

これで OK です。toddle には「よちよち歩く」という意

味があります。

堀元 それも知らないけど……。なるほど、同じパターンですね。

水野 この2問で何が言いたいか分かりますか？

堀元 分かります。英語は副詞ではなく動詞で表現するってことでしょ？

水野 そうですね。

日本語は動詞の様子をオノマトペを用いて修飾するけど、英語はオノマトペ的な意味をのっけた固有の動詞があるということです。

堀元 なるほど。日本語と英語はそもそも設計が違うってことだ。

水野 そう、これは英語の戦略なのです。

オノマトペを発達させない一方で、各シチュエーションに対応する動詞を発達させることにしたんですね。

堀元 あー、面白いし、いい話だ。

設計思想の違いを知るのって燃えますよね。ボーイング社とエアバス社の違いとか。

水野 どういうことですか？

堀元 ボーイング社とエアバス社は分かります？

水野 それは知ってます。両方とも飛行機を作ってるメーカーですよね。

飛行機に乗ると機体についてのパンフレットみたいなのが置いてあって、「ボーイング777」みたいに書いてあるイメージ。

堀元　そうそう。この2社の思想が全然違うんですよ。

　　　水野さん、飛行機の操縦といえば、どういうイメージですか？

水野　うーん、操縦桿で機体を傾けて、エンジンの出力をレバーで調整して、みたいな感じ？

堀元　っていうイメージですよね。それはボーイング社の機種のイメージです。

　　　エアバス社の機種は大昔のもの以外、原始的な操縦桿は使ってません。

水野　えっ、じゃあどうなってんの？

堀元　サイドスティックと言われる装置で、「右に30度針路を変えたい」みたいな意図を入力するらしいです。

　　　すると勝手にコンピュータが計算して、いい感じに針路を変えてくれるとか。

水野　すごいな。コンピュータが勝手にやってくれてるんだ。

堀元　飛行機の操縦ってめっちゃ難しいですからね。

　　　車の運転と違って高度とか機体の傾きとか、制御するものがいっぱいある。それを全部コンピュータにやらせようというのがエアバス社の設計思想です。

水野　ボーイング社は違うんですか？

堀元　ボーイング社は未だに原始的な操縦桿を採用しているようです。

　　　右に30度針路を変えたかったら、水野さんが思ってたように操縦桿を傾けて、エンジンの出力を調整して……みたいな細かい操作をやらないといけない。

水野　めんどくさいですね。エアバス社の方が優れてません？

堀元　とはいえ、エアバス社の機体はコンピュータができる範囲の操作しかできませんから、「緊急時にめちゃくちゃ特殊な操作をする」とかができないですね。

水野　あ、そうか。

堀元　オートマ車とマニュアル車の関係に似てるかもしれません。

　　　自動化されてると操作はラクだけど、「今これがやりたい！」という特殊なニーズには対応できない。

水野　なるほど。一長一短ありますね。

堀元　日本語と英語もこれに似てません？

　　　設計思想が違う感じがしますよね。オノマトペで自由に装飾できる日本語はボーイング社っぽくて、動詞でカッチリ意味が決まってる英語がエアバス社っぽい。

水野　面白いですね。まあ、日本語と英語は誰かが設計したワケじゃないけど、戦略の違いが生まれているという意味ではそうかも。

まとめ－イギリス人は動詞で泣く、日本人は副詞で泣く

水野 ということで、日本語と英語では、動作の様子を表現する戦略が全然違います。

堀元 完全に理解しました。副詞で表現するか、動詞で表現するかですね。

水野 これを端的に指した格言に **「イギリス人は動詞で泣く、日本人は副詞で泣く」** なんてのがありますね。

堀元 あっ！　オシャレじゃん！　めっちゃいいですね。引用したい。

水野 日本語では、泣き方を「**シクシク**泣く」「**ワーワー**泣く」などと表現します。
一方、英語ではそれぞれ「whimper」「bawl」となります。

堀元 今まで見てきた事例と一緒ですね。

水野 裏を返せば、「○○な様子で泣く」みたいな文が与えられたときに、とりあえず cry を使ってみるのは得策では

ありません。

「これに対応する一語の動詞はないかな？」と一度考え
てみることで、上級者っぽい表現ができるようになりま
す。

堀元　へぇ〜。英作文のコツですね！

明日から役に立ちそうな知識が初めて出てきました！

水野　一言多いわ。

堀元　本当のこと言うと、水野さんが**シクシク**泣いちゃうかも
しれませんね。

水野　皆さんも、「この本は全然役に立たない」みたいなこと
を**ペラペラ**喋らないようによろしくお願いします！　**ワー
ワー**泣いちゃうので！

第**6**章

★ ★ ★ ★ ★

「を」沼

1文字に人生を賭ける
学者

水野　本書のトリを飾るテーマは、**格助詞「を」**です。

堀元　**ええ～、つまんなそう。**

水野　冒頭からなんちゅうこと言うんだ。

堀元　だって明らかに面白くなさそうですよ。地味そう。

水野　堀元さん、格助詞って何か分かってます？

堀元　多分、「太郎が走る」っていうときの「が」とかですよね。

水野　そうですね。

　　　他にも「どら焼きを食べる」の「を」、「大学に合格する」の「に」とかが格助詞です。

堀元　水野さん、僕もう未来が見えてるんですけど。

水野　なんですか。

堀元　**つまんないです。**

水野　まだやってないのに決めつけるのやめてください。

堀元　いやいやいや。明らかにつまんないじゃん。

　　　こんなこと言うのもアレですけど、**大トリなのにハズレの章**ですよね。

水野　失礼な！　**格助詞、ヘタしたら日本語の中でもトップクラスに面白いテーマですよ!!　「を」や「が」の1文字**

に研究人生を賭ける学者もいるくらいです。

堀元 ホントに？

水野 ホントです。

堀元 そういう人、「何を研究してるんですか？」って聞かれて「を」って答えることになりますよ。で、相手に「え？」って聞き返されますね。

水野 ならないですよ。

堀元 あと、面接を受けるときとかも大変ですよね。
「学生時代に打ち込んだことは？」って聞かれて「を」って答えて困惑されますね。

水野 コミュ障か。

堀元 あと、合コンで自己紹介するときに……。

水野 **それもういいから**。先に進みますね。

「ヘリコプターで山を登った」はなぜヘン？

水野 「山に登る」と「山を登る」って、どう違いますか？

堀元 うーん、考えたことないですね。

水野 考えてみてください。

堀元 一緒じゃないの？

水野 一緒ならわざわざ2種類ある意味がないじゃないですか。思考停止しないでください。

堀元 しょうがないから例文を考えてみよう。

> 日曜日は高尾山に登った

> 日曜日は高尾山を登った

……うーん、「に」の方が自然ですね。

水野 いいですね。

では、「に」と「を」の違いは？

堀元 分かりました。「に」の方が「登る」とセットになりやすいんじゃないですか？　自然な理由はそれで説明できる。

水野 本当にそうですか？

堀元 そうでしょ。

水野 では、次の文の○に「を」か「に」を入れてください。

断崖絶壁○登った

堀元 あ〜、これはどちらかというと「を」だわ。

「に」でも成立はするけど、「を」の方がしっくり来ますね。

水野 ほら、とりあえず「"登る"とセットなのは"に"」という説は否定できましたよ。

堀元 あっ！ 閃(ひらめ)いた!!

水野 なんですか？

堀元 **ハードな運動のとき**は、「を」しか使えないんじゃないですか。高尾山はハードじゃない山だから「に」なんだ。

水野 おっ、ちょっとだけ近づきましたね。

堀元 めちゃくちゃ大変なときは「を」で、ラクなときは「に」なんですよ。多分。

水野 いい線いってますね。

たとえばこの例文を見ると、堀元さんの説は合ってそうに思えます。

ヘリコプターで山に登った

ヘリコプターで山を登った

水野 どっちが自然ですか？

堀元 えーっと……「に」の方が自然かな。

水野 ということは？

堀元 おっ！ 仮説に合致してる！

ヘリコプターならラクに登れますから、「に」の方が自然ですよ。

水野　いいですね。堀元さん、センスありますよ。**もう答え出たんじゃないですか。**

堀元　おっ、この本で初めての、いきなり正解を出しちゃったパターン？

水野　そうですね。もう正解かもしれません。

堀元　やったぜ!!

水野　ここで、次の例文を見てみましょう。

> 犬ぞりで山に登った

> 犬ぞりで山を登った

堀元　えーっと……これは……。

水野　どうですか？

堀元　うーん……**どっちもイケそう……。**
　　　っていうか何なら「を」の方が自然そう……。

水野　そうですよね。さっきの理屈だと「犬ぞり」はハードな運動じゃないですから、「に」じゃないとダメですよね。

堀元　……まあホラ、**犬ぞりって僕は操縦したことないですから、僕にとってはハードな運動**と言えなくもないし……。

水野　めちゃくちゃこじつけ始めたな。

堀元　犬ぞりはハードですから、「を」でもいいんですよ。

水野　じゃああくまで、ハードな運動には「を」を使うというスタンスを崩さないですか？

堀元　もちろん。

水野　では、仮に「超ラクチン！　全自動そり」があったと仮定しましょう。雪山を超ラクに登れるそりです。

堀元　# 水野さん、ネーミングセンスないですね。

水野　ネーミングは今どうでもいいんですよ。仮定の話なんだから。

堀元　そのネーミング、スベってますよ。そりだけに。

水野　やかましいわ。

とにかく、そのそりを使うとして、次の例文を考えましょう。

> 全 自 動 そ り で 山 に 登 っ た

> 全 自 動 そ り で 山 を 登 っ た

どっちの方がしっくり来ます？

堀元　うーん、やっぱり「を」の方が良さそうです。

水野　ということは、さっきのハードな運動仮説は否定されましたね。

堀元　待ってください。**全自動そりを山に運ぶまでがハードな運動なので……**。

水野　**もう諦めろや。**

「を」の意味は？

水野 結局、堀元さんは「を」の意味が分からない、ということでよろしいですか？

堀元 うーん、まあそうですね。残念ながらあんまり分かってないようです。

水野 母語話者なのに？

堀元 母語話者なのに、知らないことがいっぱいですね。

水野 まあ、だからこそ、「を」の研究に一生を賭ける学者もいるんですよ。

堀元 でも、さすがにもう解明されてるでしょ？

水野 ところが、そうではありません。

堀元 あ、まだ分からないんだ。

水野 そうですよ。

知り合いの言語学者に、軽いテンションで「"を"の意味って何ですか?」って聞いたら、3秒ほど黙り込んだのち、「それは僕の手に余るテーマです」って言ってましたから。

堀元 いやそれは手に余るテーマじゃないって。

「人が生きる意味」とか「愛とは何か」とか、そういうのだって。

水野 「愛とは何か」と同じぐらい深い問題なんでしょうね、「を」の意味。

堀元 てっきり言葉の意味なんて学者が整理してくれてると思ったんですが、そんなことないんですね。

水野　もちろん、先人たちが整理してくれた部分は大いにあります。

それでも、**言語は生き物**です。変わり続けるし、その結果、従来の定義では説明できない部分が出てくるんですね。

たとえば、正岡子規の句に、こんなのがあります。

> 六 月 を 奇 麗 な 風 の 吹 く こ と よ

堀元　へえ。初めて聞きました。

水野　どうですか？　この句の「を」って普通の用法ですか？

堀元　違うでしょうね。「六月**を**風が吹く」とは言わないもんね。

水野　そうです。**この「を」の使い方は、きわめて変則的です。少なくとも辞書には載ってないし、日常会話のデータを大量に集めても、こんな事例は出てきません。**

堀元　そうだね。見たことないですからね。

水野　じゃあ堀元さん、この句の意味は理解不能ですか？

堀元　いやいや、なんとなく分かりますよ。

6月に爽やかな風が吹き抜けた。ああ気持ちいいな、みたいな話でしょ？

水野　そうです。では質問です。

堀元さんはなぜこの句の意味が、なんとなく分かったんですか？

このような「を」の事例は見たことがないのに。

堀元　うわっ、たしかに。不思議ですね。

水野　そうなんです。ちなみにこの句、こうしたらどうですか？

> 六月に奇麗な風の吹くことよ

堀元　**味気ない句になりましたね。**普通だ。

水野　ですよね。僕も同感です。
　　　言わんとすることは分かりますが、詩情が全然ありません。

堀元　あと、「を」の方が風が強い感じがしますね。

水野　おっ、非常にいい感想が出ました。あとで拾うので、よく憶えておいてください。

正岡子規
（1867年10月14日〜1902年9月19日）
俳人・歌人、新聞記者。愛媛県生まれ。結核を患い、34歳で死去した。

178

壁をペンキで塗る？　壁にペンキを塗る？

水野　ここまで出てきた例文で共通するのは、「**"を"ってどういう意味なんだ?**」という問いです。

堀元　だんだん気になってきましたね。
「を」のことを好きになりかけてる。

水野　堀元さんが「を」に対してアニマシーを感じたところで、もう少し続けてみましょう。
次の例文をご覧ください。

> ① 壁にペンキを塗った

> ② 壁をペンキで塗った

堀元　だいたい内容は一緒だけど、格助詞が違うんだね。

水野　そうです。①では「に／を」、②では「を／で」が使われてます。
格助詞だけが違ってる例文ですね。

堀元　はい。

水野　では堀元さん、①と②の違いはなんでしょう？

堀元　うーん……あ、**②の方がいっぱい塗られてそう**な気がしますね。

水野　そうですよね。

堀元　っていうか、②は壁全部に塗られてそうだけど、①は一部だけ塗った感じがします。

壁にペンキを塗った

壁をペンキで塗った

水野　その通りです。

　　　「壁を」の方がガッツリ塗られてそうですね。

堀元　なんでだろう、不思議だ。

水野　ここに、「を」のヒントがあります。

　　　答えを言っちゃうと、**「を」は、その名詞にある程度影響を与えてたり、強く働きかけてたりすることが多いん**です。

堀元　へえ〜!!　なるほど。強く働きかけるのが「を」の特徴なんだ。

水野　はい。そうなると、さっきの例文を理解できますよね。

堀元　「壁に」よりも「壁を」の方が、強く働きかけてる感じってことですよね。

　　　たしかに「壁を」の方がペンキをいっぱい塗ってる感じがしたので、話が合ってるね。

水野　そうです。「壁を」は、壁にある程度の影響を与えてる含みがある。

　　　したがって、それなりの量のペンキが塗られたニュアンスが生まれてくるんですね。

堀元　すげえ！

水野　冒頭、「〜を登る」という表現について考えてきました。これも同じ理屈で説明ができますよ。

堀元　**強く働きかけてるときしか、「を」は使えない？**

水野　そうです。「ヘリコプターで山**を**登る」とは言えなかったですよね。

堀元　あー、そうか。ヘリコプターは全然山に働きかけてないね。

水野　空中にいますからね。

堀元　そうか。足で山を踏みしめる行為は、山に働きかけてるのか。

水野　そうです。**山道をたどって山頂に着いてるから、「〜を登る」と言える**んですね。

堀元　面白いね。山道にしっかり触れてないと「を」は使えない……あっ!!　そうか!!

水野　どうしました？

堀元　「断崖絶壁を登る」の方が圧倒的に自然だったのを思い出しました。

　　　「断崖絶壁**を**登る」なら四肢を全部使って全力で登るしかないから、めちゃくちゃ本気で断崖絶壁に働きかけてますよね。

水野　そうですね。

堀元　だから、「に」よりも「を」なんだな。めっちゃ腑に落ちました。

水野　はい。めちゃくちゃ頑張って壁をよじ登ってると、やっ

ぱり「に」よりも「を」ですよね。そういう意味では、堀元さんの「ハードな運動説」は、大きく外してはいなかった。

堀元 当たらずとも遠からずだったワケですね。

水野 はい。堀元さんの説だといまいち整合性がなかった「犬ぞり」の事例も考えてみましょうか。

堀元 あー、これも「働きかけ」っていう切り口で解決しますね。そりは雪の斜面を削りながら滑ってるもんね。

水野 そうなんですよ。そりは斜面に対してかなり影響を与えるので、「に」よりも「を」の方がしっくり来る。

堀元 あと、そう言われると文から受けるイメージが違うね。**「犬ぞりで山に登る」は臨場感がない**。気づいたら山頂にいる感じ。

一方、**「犬ぞりで山を登る」は、雪を舞い上げながら斜面を登る大男のイメージがありありと湧いてくる。**

水野 いい気づきですね。

こういう知識を持ってると、文章を書くときにどっちがいいか判断しやすくなるのかも。臨場感を与えたいなら「を」かもしれません。

堀元 すごい。めちゃくちゃ面白い。**格助詞、最高のテーマですね。**

水野 **手のひら返しがすごいな。**

「食うか食われるかの乱世〇生きる」
↑〇に当てはまるのは？

水野　似た事例でいうと、こんなのもあります。

> ③ 平 和 な 現 代 を 生 き る

> ④ 平 和 な 現 代 に 生 き る

堀元　また「を」と「に」の違いですね。

水野　この２つのニュアンスの違いって分かりますか？

堀元　あんまり変わらないけど、④の方がしっくり来ますね。
　　　「に」だね。

水野　なるほど。では、こちらは？

> ⑤ 食 う か 食 わ れ る か の 乱 世 を 生 き る

> ⑥ 食 う か 食 わ れ る か の 乱 世 に 生 き る

堀元　おお！　こっちは⑤ですね！「を」の方がしっくり来ま
　　　す！

水野　素晴らしい直観です。これがなぜなのか、もう分かりま
　　　すね？

堀元　世界に対して働きかけてるから、かな。
　　　そうか。「**乱世**」みたいに大変な場所だと、主体的に生
　　　きてる雰囲気が出るから「を」の方が自然になるのか！

水野　そういうことですね。面白いのは、⑤と⑥の文の状況設定を少しいじるだけで、自然さが急に変わってしまう点です。

堀元　どういうことですか？

水野　たとえば、**乱世で多くの人に裏切られて、没落した人がいたとします。**

堀元　**全自動そり**よりは、だいぶ自然な仮定ですね。

水野　その話は忘れてください。

堀元　はいはい。

　　　で、裏切られて没落した人が何だって？

水野　その人を評して、こう言ったとしたらどうですか？

> 彼は、食うか食われるかの乱世**を**生きたのだ。

堀元　うーん、まあそうなんだけど、なんかしっくり来ないね。

水野　一方、これならどうでしょう？

> 彼は、食うか食われるかの乱世**に**生きたのだ。

堀元　ああ、こっちの方が自然ですね。裏切られた人を評するなら、こっちだ。

水野　ですよね。なぜかは分かりますか？

堀元　分かります。**主体的に働きかけてないから**ですよね。

水野　そうです。彼はどちらかというと乱世に振り回されて

乱世に生きた

184

るのであって、働きかけてはないですよね。

だから「に」の方がしっくり来ます。

堀元　めちゃくちゃ面白いな。今までなんとなく使い分けてた
　　　けど、そんなニュアンスの差があったんだ。

水野　一方、**元々は農民の出自だったのに、殊勲（しゅくん）を立て続けて
　　　出世した人**を仮定しましょう。

堀元　マンガみたいですね。『**キングダム**』の主人公とか。

水野　そういう人に対しては、こっちの方が絶対いいですよね。

> **彼は、食うか食われるかの乱世を生きたのだ。**

堀元　絶対にいいね。「乱世に」だと、なんか他人事っぽい感
　　　じがする。

水野　とまあこんな調子で、「裏切
　　　られた人」とか「殊勲を立
　　　てて出世した人」とかいう
　　　設定を加えるだけで文の自
　　　然さが変わるの、面白くな
　　　いですか？

乱世を生きた

堀元　すごいわ。格助詞、めちゃくちゃ面白い。

水野　意味をまったく意識してないのに、自然に使い分けてま
　　　すよね。

堀元　我々は格助詞のある世界に生きてますね。

水野　おっ、さっそく活用し始めた。

　　　そうですね。格助詞を主体的に使ってないから、「を」
　　　より「に」ですね。

　2006年から『週刊ヤングジャンプ』にて連載中の漫画。第17回手塚治虫文化賞マンガ大賞を受賞している。

　紀元前3世紀、春秋戦国時代の秦国が舞台である。戦争孤児の少年・信が、あることから天下統一を目指す物語。

「川を泳ぐ」は遊びじゃない

水野　もう少し補足しておきましょう。

「川を泳ぐ」と「川で泳ぐ」の違いについてです。

堀元　どっちも言えそうですが、やっぱりニュアンスが違いそうだ。

水野　はい。どう違うか分かりますか?

堀元　そうだな……。さっきまでの「強く働きかける」みたいな話とは別っぽいですね。

泳ぐのは両方とも働きかけてるし。

水野　そうですね。ちょっと別の発想が必要です。

ここでは、「を」のもう1つの側面を考えたい。

堀元　うーん、「川を泳ぐ」の方がやっぱり臨場感がありますね。**『走れメロス』**で、メロスが濁流の川を死ぬ気で泳ぐシーンがありますけど、あれは「川**を**泳ぐ」だなという気がする。

水野　おっ、いいですね。

堀元　一方、「川**で**泳ぐ」はなんとなく、遊んでる人のような気がします。休日にハイキングをして、たどり着いた川で泳いでる。

水野　すごくいい感覚だと思います。その感覚から、仮説が立てられますか?

堀元　そうですね……。

つまり「川を泳ぐ」は**ハードな運動のときにし**

か使えないんじゃないでしょうか。

水野 また出ちゃったその説。

堀元 メロスがやってるのは間違いなくハードな運動ですから
ね。これで間違いない！

水野 堀元さん……。

堀元 はい。

水野 ……**ほとんど合ってます**。

堀元 えっ、あっ、重ねてボケたつもりだったけど、合ってる
んですか？

水野 7割くらい合ってる気がします。

正解を言うと、「川を泳ぐ」のときの「を」は、**その場
所のかなり広い範囲で運動が行われてる**というニュア
ンスが含まれます。

堀元 あー、なるほど。メロスは川を渡りきったから「川を泳
いだ」なのか。

水野 そうですね。「端から端まで」という印象ですね。

堀元 言われてみるとそんな感じしますね。

水野 「泳いで渡った」というニュアンスの他にも、「上流から
下流へなど、かなりの距離を一直線で泳いだ」みたい
なニュアンスもあります。

堀元 あっ、たしかに。

「丸一日かけて、下流から上流まで泳いだ」というとき
には、「昨日川**を**泳いだんだよね」になりますね。「昨日
川**で**泳いだ」とは言わない。

水野 ですよね。

　　　　一方、「で」は**川のごく狭いエリアで泳いでる**ようなイ
　　　　メージがありませんか？

堀元　うわ〜、完全にそうだ。

水野　ということで、堀元さんの仮説は割と合ってました。な
　　　かなかいい言語感覚ですね。

堀元　まあ、ボケたつもりだったんですけどね。

水野　とまあここまで、「川で泳ぐ」と「川を泳ぐ」の違いを
　　　見てきたんですけど、これ実は、最初に見た「山を登
　　　る」と同じ理屈で説明できるんです。

堀元　おっ、すげえ。全然別の説明かと思ったら、統合でき
　　　るんですね。

水野　**統一理論**って夢がありますよね。

堀元　いいですよね。聞かせてください。

水野　日本語学の研究によると、「を」は**経路**を表すとされま
　　　す。

堀元　ほうほう。通ってきた道ってことですね。

水野　そうです。「山を登る」も「川を泳ぐ」も同じです。
　　　山や川を経路として示してるということは、**広範囲で
　　　じっくり運動をした**というニュアンスが付随します。

堀元　あー、なるほど。過程を強調してるみたいなことか。

水野　そうですね。「山に登った」と比べると分かりやすいで
　　　す。「に」は、単に到達点を表す助詞です。だからこそ、
　　　山道をじっくり経由したことまでは含意（がんい）せず、単に山頂
　　　まで行ってることまでしか意味しないんですね。

堀元　ふむふむ。ヘリコプターの場合は「に」しか使えないの

も、過程があんまりないからか。

水野　そうですね。それからもう1つ比較してみましょう。「川で泳いだ」の「で」は、どういう意味ですかね？

堀元　家でパーティを開いた、旅先でいい出会いがあった……プレーンな印象ですね。単に場所を示してる気がする。

水野　まさにそうです。「で」は、出来事の場所を示してます。

堀元　あっ、そのまんまだった。

水野　ということで、「川で泳いだ」は単に出来事の場所を表してるだけです。

堀元　つまり、じっくり過程を表す感じにならない。だから、そんなにたくさん泳いでないだろうという印象になるってことですね。

水野　そうです。話をまとめますと、「**に**」**は到達点**、「**で**」**は場所**を示せます。こうした選択肢があるのにもかかわらず、わざわざ**経路の**「**を**」を使うケースがある。つまり、話者は場所を強調したいのではなく、その場所に至るまでの**過程を強調したい**のです。だからこそ、「を」を使うと山や川の広範囲でじっくり活動をしてるニュアンスが出る。

堀元　すげえ！　今までの現象を完璧に説明できてますね！統一理論だ！

＊『走れメロス』
　　昭和期の文豪、太宰治の短編小説。メロスとその友人、セリヌンティウスの友情を描いた。

190

ま と め ―「を」の ニ ュ ア ン ス

堀元　しかしまあ、毎度のことながら「**俺、日本語のこと何も知らずに喋ってたな**」ってなりますね。

水野　「を」の意味は知らなくても、僕たちはなんとなく情景を頭に思い浮かべることができますもんね。

堀元　すごいわ。「対象への働きかけ」とか「広い範囲」とか、言われたら全部しっくり来たもん。

水野　僕らの脳、ちゃんと意味を理解してさえいない言葉を勝手に処理してくれて優秀すぎない？

堀元　ホントにそうだわ。

水野　そして、これは未知の用法についてさえ言えるんですよ。

堀元　正岡子規の俳句も、なんとなく処理できたもんな。

水野　はい。正岡子規の句をもう一度見てみましょう。

六 月 を 奇 麗 な 風 の 吹 く こ と よ

堀元さん、この俳句を見て、なんて言ってましたっけ？

堀元　詩情があるなぁ、って。

水野　それは僕のセリフです。

堀元　あれ、そうだっけ？　なんだっけなー、**なんとなく風が強そう**でしたっけ。

水野　そうですそうです。その感想も、「を」のイメージから説明できますね。

堀元　あっ、たしかに！　**対象に強く働きかけてる感じ**がする

のか。

水野　そうです！

堀元　あ、あと、もしかしたら「端から端まで」っていうニュアンスも関係あるかもしれないですね。**街の端から端まで、長い距離を風が吹き抜けていく**という詩情を感じるのかも。

水野　いいですね。堀元さん、詩人ですね。

堀元　格助詞、めちゃくちゃ楽しくなってきました。いい文章を書くヒントになりそうだ。

水野　テンションが上がってきたところでもう１つ、つい最近詠まれた俳句も紹介しておきましょう。2018 年に**岡田一実**氏が詠んだものです。

> 海 **を** 浮 く 破 墨 の 島 や 梅 実 る

堀元　「海**を**浮く」……また変則的な使い方ですね。

水野　そうですね。普通に考えると、「海**に**浮く」ですよね。

堀元　正岡子規だけがやってるんじゃないんですね。

水野　そうなんです。俳句の世界では現代においても、このように変則的な「を」を効果的に使ってます。

堀元　へぇ〜。ってことは、俳句ではもうスタンダードな技術になってるんですか？

水野　**いや全然。「この“を”の使い方はどうなのか？」と議論を生んだ**そうです。

堀元　あ、そうなんだ。「を」は別に確立された用法じゃないんですね。

水野 でも、なんとなく意味が分かるのは疑いようのない事実
です。

堀元 そうだね。僕らの脳が勝手にニュアンスを教えてくれる。

水野 その意味では、**俳人たちは、我々の脳を上手く利用して、
表現の限界に挑戦してる**とも言えますね。

堀元 オシャレなこと言いますね！　その通りだ！

水野 「海に浮く」では表現しきれないニュアンスを、日本語
的にはヘンな「海を浮く」にすることによって表現する。
これってすごいことだと思いませんか。

堀元 本来そんな使い方じゃないのに、脳の構造を利用して
ヘンな使い方を生み出す……プログラマーに似てます
ね。

水野 どういうこと？

堀元 「ハックする」なんて言葉が人口に膾炙してますけど、
内部構造を利用した裏技みたいなのって、プログラミ
ングの世界でよくあるんですよね。

水野 あー、裏技ね。たしかに言われてみると、プログラミン
グの世界に多くありそう。

堀元 たとえば、水野さん、「P」って何番目のアルファベット
だと思います？

水野 えっと……。数えるのムズいな……。

堀元 とまあこんな調子で、普通にやると悩んじゃいますよね。

水野 もっとラクな方法がありますか？

堀元 あります。**64を引けばいい**んです。

水野 **何言ってるの？　どこから出てきたのその数字？** 「引く」

の意味もまったく分かんないし。

堀元　ところが、できるんですよね。このワケの分からない操作が。

　　　たとえば、**C言語**というプログラミング言語なら許されてます。

水野　なぜですか？

堀元　文字はコンピュータの中では、数字として表されてるんですよ。

水野　コンピュータは数字しか使えないから、ってことですかね？

堀元　そうそう。この数字の置き換え規則のことを**文字コード**と言います。

　　　Ｕ Ｔ Ｆ-8 という文字コードだと、A は 65 です。

水野　ふーん、全然興味ないっすね。

堀元　でしょうね。でもまあ聞いてよ。

　　　A は 65 で、B は 66、C は 67…… って 感じで、コンピュータの内部だと数字として記録されてるんですよ。

水野　はい。

堀元　つまり、「A」という文字を**コンピュータは裏側で解釈**して記録するときに「65」に置き換えてるのね。

　　　だから、人間はこの「**65**」**という数字を意識しない。**

水野　あー、なんとなく最初のくだりの意味が分かってきました。

堀元　でしょう。最初に言った **「64を引けばいい」** はそういう意味です。

Aは「65」で「1」番目のアルファベットだから、何番目のアルファベットか知りたければ64を引けばいい。

水野　なるほど。アルファベットを表現する数字は1ずつ増えていくから、あとは全部同じ要領で、64を引けば何番目のアルファベットか分かる、ってことですね。

堀元　そうそう。だからPが何番目のアルファベットか知りたければ「'P'-64」を計算すればいい。

水野　つまり、**内部構造を知ってれば裏技が使える**ってことですね。

堀元　そういうことです。

　　　コンピュータの内部ではAが65に置き換わってて、アルファベット順で1ずつ増えてくと知ってれば、こういうテクニカルなことができます。

水野　あー、なるほど。

　　　内側でどうなってるかを知ってれば、謎の操作で答えを出せるんだ。

堀元　内部構造が分からない人にとっては完全に意味不明の計算ですけどね。

水野　たしかにすごいですね。そのワケの分からない計算ができるのは、内部構造を知ってる人だけだ。

堀元　そうです。俳人が「海**を**浮く」みたいによく分からない「を」の使い方をするのも、これに似てますよね。

水野　なるほど。そうかもしれない。

　　　普通に考えると意味不明なんだけど、内部的には問題なく処理できるという意味で。

堀元　ですよね。

我々は普段「を」が脳内でどう処理されるかを意識してないんだけど、それでもひっそり処理されてる。

俳人はこの内部構造をハックしてるんですよ。

水野　なんか人聞き悪いな。

堀元　でもそういうことでしょ？

俳人の皆さんは多分、「を」が我々の頭でどんな風に処理されてるのか、理解した上で謎の操作をやってますよね。

水野　そうですね。そういう意味ではよく似てるかもしれない。

堀元　そして、プログラマーの中でも高度なハックができるのは、もう**廃人**の領域に入ってる人だけです。あり得ないほど内部を熟知しないといけない。

水野　おっ、まさか……？

堀元　つまり、**俳人は廃人**と言えますよね。

水野　やっぱりな。**ダジャレが言いたかっただけかい。**

堀元　ここで一句。

> オヤジギャグ　会話を吹いて　いきにけり

水野　やかましいわ。

＊C言語
　プログラミング言語の1つ。コンピュータ・サイエンスを専攻する学生は、たいてい勉強することになる。そのうちの半分は、「ポインタ」が理解できずに落ち込む。

* 文字コード
  文字を表現する際、2進数で表すコードのこと。

* UTF-8
  Unicode用の符号化方式の1つ。世界的に最もポピュラーである。コンピュータ内で文字を表示する際の文字コードの1種。これ以外を使っていると素人としてバカにされがち。

岡田一実
（1976年9月5日〜）
俳人。
富山県生まれ。第3回芝不器男俳句新人賞にて城戸朱理奨励賞受賞のほか、第32回現代俳句新人賞など、多くの賞を受賞している。

言語沼に引きずり込まれた。

　僕の直近2年間の生活を総括するなら、この言葉がふさわしいだろう。

「ゆる言語学ラジオ」なる YouTube と Podcast を始めてからというもの、言語オタクの相方の話を2年間聞き続けている。「助数詞って超面白いんですよ！」と目を輝かせて語る相方に、「はいはい。雑学クイズでよく出てくるヤツね。イカは1杯と数える、みたいな。僕そういうの飽きてますよ」と、冷たく答える。

　しかし、彼は全然動じない。「僕がそんなしょうもない雑学を喋ると思いましたか？　違いますよ。**助数詞は我々の認識を映す鏡であり、ゲルニカのような芸術作品と言っても過言ではないのです！**」と、めちゃくちゃ過言っぽいことを言う。

　だけど、彼の話を聞いたあとは、「**ホントだ〜！　助数詞すげえ〜！　実質ゲルニカじゃん！**」と説得されてしまう。

　そんな経験を何度も繰り返して、言葉の楽しさを思い知らされた。

　最近は誰かと喋っていても、**言葉の不思議が気になって内容が入ってこない。**

「私、こないだ上司にめちゃくちゃ詰められちゃったんだよね……」と言われると、「なぜ怒られることを"詰められる"と表現するのだろう？」と気になってしまい、慰めの言葉をかけ忘れる。最終的に「ねえ、別のこと考えてない？」と僕が詰めら

れることになる。

「このプロジェクトはこうやって走らせていきましょう！」と言われると、「なぜプロジェクトは"走らせる"なんだろう？」と気になってしまい、プロジェクト内容の説明を聞き逃す。最終的に「ヤバい！　何をやるのか分からない！」と僕が走り回ることになる。

言葉が気になるせいで、生活に影響が出ている。僕はまさに、**言語沼にハマってしまった**に違いない。

なぜハマったか。その答えは、「ムダ」にある気がしてならない。本書を一言で表現するなら、**ムダの多い本**である。

自分で書いておいてなんだが、こんなにムダの多い対話本は他に類を見ないと思う。

世の中には、「あるテーマについて詳しい人と詳しくない人が話す対話形式の本」がたくさんあるが、基本的にはすべて「先生と生徒」に似た関係性になっている。先生の話に対して生徒が反論したり、関係ない話を延々することはあまりない。

一方、本書は「友だち」が語り合っている（僕にとって水野はラジオの相方である以上に気の合う友だちだ）。したがって、僕は好きなだけ反論しまくるし、思いついたことを話して脱線させまくるし、最終的に「その説明はあまり納得できなかったぞ」と文句を言って終わるテーマすらある。この本がムダ話ばかりになった理由はそれだ。

ムダの削減が叫ばれる世の中である。SDGsを意識するなら、紙とインクを大事にしなければならない。こんなムダばかりの

本を出版するのはサステナブルじゃないかもしれない。「**サステナブルじゃない本**」と書評欄でボロクソ言われるかもしれない。

とはいえ、こんなムダばかりの本もあっていいんじゃないかなと、思っている。自由にムダ話ができる環境だからこそ、僕は言語の楽しさに耽溺できたはずだ。おそらく相方が先生として一方的に話してきたなら、こんなに沼にハマることはなかったはずだ。

沼に引きずり込むというのはつまるところ、相互作用に他ならない。話し手が一方的に喋るだけでは成立しない。これは話し手と聞き手の相互作用なのである。一見ムダに思える聞き手の脱線話も、すべては沼にハマるために必要な工程なのである。

そして、皆さんにもその相互作用を追体験してもらう必要があるため、本書はムダが多いのである。断じて、**ネタ集めがめんどうだったから雑学で薄めた**とか、**脱線を書いてるうちに楽しくなってやたらとページ数が増えてしまった**とか、そういう理由ではない。追体験のために仕方のないことなのである。ご理解いただきたい。SDGs を引き合いに出して本書を糾弾するのはやめてほしい。

それから、我々は YouTuber ではあるが、本書は YouTube の書籍化ではない。ほとんどが新ネタであり、動画にしていない内容だ。ブックライターも一切入れていない。僕と相方

が協力して自分たちの手で書き下ろしたものだ。

　実は、出版の話を引き受けた当初はライターに全部お願いする予定だった。動画の内容をライターに書き起こしてもらえば、我々の手間はゼロである。しかし、何をトチ狂ったのか僕たちは「自分たちで書こう！　その方がいいものになる！せっかくだから新ネタを大量に書き下ろそう！」と自分たちのタスクを爆増させてしまった。

　その結果、深夜に必死でキーボードを叩くことになった。平常業務が終わったあとにムリヤリ執筆時間を作ったため、睡眠時間が減ってしまった。**貴重な睡眠時間を削ってムダばかりの本を書いている**のだから実に滑稽（こっけい）である。**執筆スタイルが全然サステナブルじゃない。**

　サステナブルじゃない執筆スタイルで本を書くのは割と大変だったけれど、結果として楽しい本が出来上がったのではないかと自負している。

　皆さんは気楽に読んで、気楽に言語沼を味わうことができると思う。

　沼にハマっていくのは、楽しい。

　僕が言語オタクの友だちに700日間語り続けられて沼に引きずり込まれた楽しさを、皆さんにも追体験してもらえたのなら幸いだ。

＊　＊　＊

　面白かったら、ぜひ高評価レビューを書いたり、友だちに

薦めたりしてください。全然売れなかったら、僕たちはシクシク泣いたり、ワーワー泣いたりしてしまうかもしれない。もしくは、イギリス人ばりに bawl してしまうかもしれない。

　我々の制作活動をサステナブルにするために、売上へのサステナブルな協力をお願いします。

ゆる言語学ラジオ　堀元見

エピローグ ～話し手～
言語沼に堕ちて四半世紀が経とうとしている。

　小学生の頃、僕の心は難読漢字にとらわれていた。街に出れば難読語を収集し、メモする。

「田面」

　近所の信号機にこうあった。「とうも」と読むことを知り、雷に打たれたような衝撃を受けた。

「日本全国の難読地名を調べあげよう」。そう決心して、夏休みの自由研究でノート8冊の大作をこしらえたら、先生に困惑された。

　中学生になると、さすがに漢字には飽きてしまった。そこで僕が目をつけたのは**ことわざ**である。

　親にねだって買ってもらったことわざ辞典は僕の友だった。いたずらが先生にバレた友だちに「**天網恢恢疎にして漏らさず**だね」と言ったときの、キョトンとした顔は忘れられない。

　高校に入り、周りの同級生が意中の異性との LINE で一喜一憂しているとき、僕は英文法に心を奪われていた。「女心は複雑だ」とはありきたりな文句だが、僕にとっては五文型の方がよっぽど複雑で、そして好奇心をそそるものだった。

　振り返れば、関心は常に**ことば**にあった。そんな自分が言

語学研究室の門を叩くのは、自然なことだった。

　が、授業を受けてみてびっくりした。「『象は鼻が長い』の主語って何？」だとか、そんなことで研究者たちが大もめしているのである。

「単連結な3次元閉多様体は3次元球面S^3に同相か？」なんて議論には初学者はとても入れないが（解決に100年かかった数学上の難問「ポアンカレ予想」である）、「象は鼻が長い」って文なら誰でもピンと来る。

　すごい学問だな、と懐の広さに敬服した。それと同時に、「世間にその面白さがイマイチ伝わっていないな」と思ったのも本音である。

　言語の面白さを伝える本が作りたい。大学で真面目に勉強しなかったくせに生意気だが、そう思って出版社に就職した。

　言語沼に堕ちて四半世紀が経とうとしている。思わぬ形で夢が叶ってしまった。

　これまでの人生で、言語沼の深さを共有できる仲間はいなかった。

　友だちには頑張って布教してみたがついぞ成功しなかったし、小学校の担任にお気に入りの難読漢字本をプレゼントしたときには、「読んでみたけど、難しいね」と大人な対応をされただけだった。

　喫茶店で辞書を一緒に読み合う彼女が欲しいとひっそり

願っていたが、当時気になっていた女の子からは「水野って、『広辞苑』と付き合ってるんでしょ？」と言われた（名誉のために言っておくが、自分は『広辞林』派だった）。

　言語の面白さは誰も理解してくれないのか……。

　そう思って20年、ついによい知己に恵まれた。気が合うのだから、布教するのはなんてことない。時を経ること2年、果たして彼を言語沼に引きずり込むことに成功したのだった。

「聞かれたら答えは分かるんだけど、そのメカニズムがなぜか説明できない」。こんな不思議な現象は、日常生活ではそう滅多にお目にかかれない。ところが言語に目を向けると、一事が万事こんなことばっかりなのである。

　本書では、こうした現象にぎゅっと照準を絞って、僕が特に面白いと感じていた日本語の事例を取り上げた。

　が、これはまだまだ**沼の浅瀬**である。興味を持たれた方は、ぜひ日本語学や言語学の本を読んでみてほしい。そうなれば、大学生の頃に抱いた野望はほぼ叶ったことになる。

　なお、本書はYouTubeチャンネル「ゆる言語学ラジオ」で監修を務めてくださっている、4人の言語学者に事前に読んでいただいた。丁寧なコメントをくださった黒島規史先生、嶋村貢志先生、高田祥司先生、福田純也先生、いつも**沼の奥深く**から優しく手を差し伸べていただき、ありがとうございます。

本書に書いた通り、言語研究のいいところは、題材が日常に満ちあふれているところだ。

　数学の問題集を用意する必要もないし、難解な哲学書とにらめっこする必要もない。ただ友だちとの何気ない会話に少しアンテナを立てたり、街で見た広告コピーをちょっと気に留めるだけでいいのだ。

　そして、**気になり始めたら最後、底なしである。**

ゆる言語学ラジオ　水野太貴

2022 年 11 月、沼の奥底に沈みながら

● 参考文献

第1章 「のこと」沼

『日本語存在表現の歴史』金水敏　ひつじ書房　2006年
『日本語不思議図鑑』定延利之　大修館書店　2006年
『数え方でみがく日本語』飯田朝子　筑摩書房　2005年
『日本の助数詞に親しむ─数える言葉の奥深さ』飯田朝子　東邦出版　2016年

第2章 「バテる」沼

『プラトーン著作集〈第5巻 第1分冊〉言葉とイデア〈第1分冊〉クラテュロス』水崎博明　櫂歌書房　2013年
『怪獣の名はなぜガギグゲゴなのか』黒川伊保子　新潮社　2004年
『新明解 語源辞典』小松寿雄・鈴木英夫　三省堂書店　2011年
『「あ」は「い」より大きい!?─音象徴で学ぶ音声学入門』川原繁人　ひつじ書房　2017年
『脳のなかの幽霊、ふたたび』Ｖ・Ｓ・ラマチャンドラン　山下篤子（訳）　角川書店　2005年
『オノマトペ研究の射程─近づく音と意味』篠原和子・宇野良子（編）　ひつじ書房　2013年
『プルーストとイカ─読書は脳をどのように変えるのか?』メアリアン・ウルフ　小松淳子（訳）　インターシフト　2008年
Köhler, W. (1947), Gestalt Psychology (2nd. Ed.) (New York: Liveright), 133-134.
清水祐一郎(2016).音象徴に基づくオノマトペの印象評価システムと生成システムの設計, 電気通信大学大学院 情報理工学研究科博士（工学）論文.

第3章 「えーっと」沼

『ささやく恋人、りきむレポーター─口の中の文化』定延利之　岩波書店　2005年
『日本語の談話におけるフィラー』山根智恵　くろしお出版　2002年
定延利之・田窪行則(1995).「談話における心的操作モニター機構─心的操作標識「ええと」と「あの（ー）」─」『言語研究』, 108, pp74-93.
大工原勇人(2008).「指示詞系フィラー「あの（ー）」・「その（ー）」の用法」『日本語教育』, 138, pp53-62.
『宇宙創成（下）』サイモン・シン　青木薫（訳）　新潮社　2009年

第4章 「あいうえお」沼

『日本語・国語の話題ネタ─実は知りたかった日本語のあれこれ』森山卓郎（著・編）　安部朋世・石田美代子・川端元子・日高水穂・松崎史周・矢澤真人　ひつじ書房　2012年
『日本語通』山口謠司　新潮社　2016年
『音とことばのふしぎな世界─メイド声から英語の達人まで』川原繁人　岩波書店　2015年
小林正myself(2008).「日本語の原初母音体系について─意味論的アプローチ─」四天王寺大学『四天王寺国際仏教大学紀要』第45号, pp379-411.

第5章 「パンパン」沼

『日本語のオノマトペ─音象徴と構造』浜野祥子　くろしお出版　2014年
『オノマトペの謎─ピカチュウからモフモフまで』窪薗晴夫（編）　岩波書店　2017年
『オノマトペの認知科学〈認知科学のススメ シリーズ〉』秋田喜美　日本認知科学会（監修）　内村直之（ファシリテーター）　新曜社　2022年
『言葉をおぼえるしくみ─母語から外国語まで』今井むつみ・針生悦子　筑摩書房　2014年
『オノマトペ研究の射程─近づく音と意味』篠原和子・宇野良子（編）　ひつじ書房　2013年
『英語独習法』今井むつみ　岩波書店　2020年

第6章 「を」沼

『現代日本語文法2 第3部 格と構文 第4部 ヴォイス』日本語記述文法研究会（編）　くろしお出版　2009年
『日本文法研究』久野暲　大修館書店　1973年
『日本語不思議図鑑』定延利之　大修館書店　2006年
『AI研究者と俳人─人はなぜ俳句を詠むのか』川村秀憲・大塚凱　dZERO　2022年

著者紹介

堀元見（ほりもと・けん）

言語学素人

1992年生まれ。北海道出身。慶應義塾大学理工学部卒。専攻は情報工学。
作家とYouTuberのハイブリッドで、知的ふざけコンテンツを作り散らかしている。
YouTubeチャンネル「ゆる言語学ラジオ」で聞き手を務める。
著書に『教養悪口本』（光文社）、『ビジネス書ベストセラーを100冊読んで分かった成功の黄金律』（徳間書店）がある。

水野太貴（みずの・だいき）

言語オタク

1995年生まれ。愛知県出身。名古屋大学文学部卒。専攻は言語学。
出版社で編集者として勤務するかたわら、YouTubeチャンネル「ゆる言語学ラジオ」で話し手を務める。
小学校では難読漢字に、中学校では辞書に、高校では英単語の語源や英文法にハマり、半生を言語沼で過ごしてきた。

本文デザイン / 辻井知（SOMEHOW）
校正 / 鷗来堂、小柳商店（加藤義廣）
イラスト / 戯画千代
印刷・製本 / 神谷印刷（株）
復刻版担当 / 飯田光平（VALUE BOOKS）

復刻版　言語オタクが友だちに700日間語り続けて引きずり込んだ
言語沼
〈検印省略〉

2024年 8 月 31 日 復刻版 第 2 刷発行

著 者──堀元 見（ほりもと・けん）・水野 太貴（みずの・だいき）

発行者──清水 健介

発 行──バリューブックス・パブリッシング（株式会社バリューブックス）ＶＢ VALUE BOOKS
　　　　長野県上田市上田原 680 - 17
　　　　publishing@value-books.jp

ISBN 978-4-910865-05-8 Printed in Japan

本書は、2023年4月にあさ出版より刊行された『言語オタクが友だちに700日間語り続けて引きずり込んだ 言語沼』の復刻版です。内容に変更はございません。